Hospital Militar de Cádiz

Antonio de Miguel Gavira

La presente edición ha sido revisada atendiendo a las normas vigentes de nuestra lengua, recogidas por la Real Academia Española en el *Diccionario de la lengua española* (2014), *Ortografía de la lengua española* (2010), *Nueva gramática de la lengua española* (2009) y *Diccionario panhispánico de dudas* (2005).

Hospital Militar de Cádiz

Primera edición: Diciembre 2020

Depósito legal: A 467-2020
ISBN: 978-84-17924-61-4

Impresión: Editorial Club Universitario

© Del texto: Antonio de Miguel Gavira
© Maquetación, corrección y diseño: Editorial Club Universitario

Editorial Club Universitario. Telf.: 96 567 61 33
www.editorialecu.com
editorial@ecu.fm

Impreso en España - Printed in Spain

Prólogo

En el siglo XVII, la población de Cádiz se asentaba en las proximidades del istmo, es decir, de las puertas de tierra hacia la península gaditana. Los terrenos que hoy circundan la Alameda de Apodaca eran un descampado en el cual había un terreno cedido por la ciudad para que fuera dedicado a cementerio, un cementerio marino aunque no el de Verlaine, donde eran enterrados muertos ocurridos en las naves del intenso tráfico marítimo existente con Hispanoamérica y los causados por las frecuentes epidemias de la época. Aquel cementerio contó con una ermita, denominada Ermita del Santo Ángel. Junto a los terrenos, la ciudad dedicó 2 000 ducados para la construcción de un hospital.

En 1667 se comenzó la construcción del hospital, junto a la ermita. Se edificó de dos plantas, en torno a dos patios cuadrados, con arquerías de mármol y baldosas de arte talaverano. El hospital fue encargado a los dominicos, que cuidaron a los enfermos hasta ser sustituidos por Hermanas de la Caridad.

En 1728, en un pequeño edificio situado en la explanada de entrada del Real Hospital Militar de Cádiz, se instaló la Escuela de Practicantes de Cirugía de la Armada y un Anfiteatro Anatómico, por el francés Juan Lacomba, cirujano mayor de la Armada y director de dicho hospital. El centro, en 1748, fue transformado por Virgili, también cirujano de la Armada, en el Real Colegio de Cirugía, en el cual Lacomba y Virgili dieron las primeras clases de anatomía a los alumnos de Cirugía de la Marina. En 1749 pasó a ser la escuela de Anatomía de la Facultad de Medicina.

Tabla 1. *Pacientes de la Armada ingresados en los hospitales de la bahía de Cádiz (marzo 1794)*[1].

Hospitales	Número
Real de Cádiz	1.075
Provisional de Santa Catalina	302
Provisional de los Mártires	138
Segunda Aguada	557
Arsenal de la Carraca (enfermería y otros edificios)	259
Particular de San Josef	65
Total	2.396

(1) AGMAB. Sección Hospitales. Legajo 3020. Clavijo y Clavijo S, 1944, p. 83.

Dado el reparto por diferentes clínicas de los enfermos, en la fecha de la tabla, se deduce que el Real Hospital de Cádiz por esa fecha (y desde su fundación, pues no se conoce se efectuaran en él importantes obras de ampliación). El hospital tenía cerca de 1000 camas.

El hospital tuvo un papel decisivo en las epidemias de cólera, fiebre amarilla y tifus exantemático, hasta la construcción en San Fernando de un Hospital Naval en 1856. El de Cádiz cesó su actividad asistencial en 1984, a los 317 años de su inauguración.

En este hospital ejercí de capitán médico, diplomado en Medicina Interna, diez años, desde 1968 al 78. Fueron probablemente los mejores años de mi vida.

No obstante, este libro no es una autobiografía, ni el capitán médico Juan Salas soy yo, aunque buena parte de los problemas médicos (quizás demasiados) que suceden en la novela proceden de mi propia experiencia. Las vicisitudes personales del personaje no reflejan las mías, son fruto de la observación, la invención y los recuerdos de la gente que me rodeaba en aquella época.

Esta novela es un recuerdo y un humilde homenaje a aquel entrañable hospital y a sus gentes.

Antonio de Miguel.

I

Hospital Militar de Cádiz

Juan se despertó bruscamente. Se había dormido de madrugada en una litera del exprés Madrid — Cádiz luego de permanecer despierto la mayor parte de la noche. El vagón debía haber dado un barquinazo que le sacó de confusos sueños.

Se incorporó, a fin de mirar por la ventanilla. En el día grisáceo, lluvioso, el cerro coronado por la descomunal iglesia de Las Cabezas escapaba hacia atrás.

Cuando salió de Madrid la tarde del día anterior, le acompañaban en el departamento una madre de mediana edad y su hija, de unos veintipocos años. Al entrar en él, le miraron con inquietud, que se calmó cuando les dijo, al comenzar a conversar, que era médico.

La muchacha, de rostro infantil, clavó en él unos negros y profundos ojos. Era redondita y morena, con el pelo azabache ensortijado, la cara redondeada y la boquita pequeña. A Juan le recordó a Betty Boop, la *flapper*[1] de Max Fleischer.

---

1. *Flappers*: mujeres jóvenes que usaban faldas cortas, no llevaban corsé, lucían un corte de cabello especial (denominado *bob cut*) y escuchaban música no convencional para esa época (*jazz*), que también bailaban.

Cuando la madre contó que la muchacha era maestra, Juan para romper el hielo afirmó:

—Los alumnos te confundirán con uno de ellos cuando te vean.

—Precisamente ese es nuestro miedo —dijo la madre, que era un arrugado retrato de su hija—. Por eso la acompaño. Ha sacado una plaza en El Puerto de Santa María en las oposiciones al magisterio y va a tomar posesión.

—¿Y la acompaña por la cosa del apoyo moral? —preguntó Juan.

—Cree que los alumnos me van a comer —dijo Betty Boop.

—También yo voy a tomar posesión de una plaza, pero de médico.

—¿En El Puerto? —preguntó la madre, viendo en Juan un posible buen partido para la maestra.

—No. En Cádiz.

Astutamente, la madre se tumbó en la litera de arriba que le extendió Juan. Así pues, Juan disfrutó el tiempo que estuvieron echados y duró despierto, de la visión del frágil talle y el bonito culo en forma de manzana, enfundado en unos vaqueros negros, de la muchacha. Tuvo tiempo de aprendérselos de memoria porque desgraciadamente los ronquidos de la madre le mantuvieron despierto parte de la noche. En Córdoba, finalmente, cayó en un profundo sueño.

Se encontraba solo en el departamento. El tren estaba entrando en Cádiz, un Cádiz que en el año 68 era una provinciana ciudad en la que no existía el Puente Carranza, fuera de las Puertas de Tierra no existían apenas cafeterías, persistía alguna huerta y El Trofeo era el más importante evento del año.

Un inmenso farallón de cemento gris con manchas de musgo y humedad, con tres filas de ventanitas y las dos Y griega de unas tuberías de desagüe. Más adelante el Baluarte de Los Negros[2] a la izquierda y las instalaciones del puerto a la derecha. Un intenso olor a yodo y a algas. En el andén, larga marquesina verde apoyada en postes de hierro forjado. Estaba lloviznando. Hacía un frio húmedo.

Juan bajó su equipaje de la rejilla, se puso la gabardina y arrastrando el maletón, al que estaba sujeto con las correas de un portamaletas el sable, metido en una funda de terciopelo rojo oscuro, emprendió camino estación adelante.

No siempre es Cádiz la «salada claridad» con que la describió Alberti. En enero, el mes que corría, es húmeda y oscura. Hay pocas ciudades cuyo aspecto cambie tanto según haga sol o no. De húmeda y lóbrega ciudad vieja a Tacita de plata bruñida por el rubicundo Apolo.

Los pocos viajeros que había vomitado el tren expreso fueron recogidos por familiares con coche. Afortunadamente, llegó un taxista que, sin más preámbulo, cogió su maleta e inquirió:

—Al Hospital Militar, ¿no?

—¿Es usted adivino?

—No —contestó el taxista—. Tomo vinos con frecuencia con Antonio, el portero del hospital. Me dijo que un día de estos tenía que incorporarse un capitán médico.

Durante el corto trayecto, el Sherlock Holmes preguntó:

—¿Conoció usted a don Carlos Jiménez Díaz?

—Claro que sí —contestó el médico.

—Yo fui chófer suyo. Tuvo el grave accidente que tuvo por no subirme el sueldo. Le pedí un aumento y me despidió.

---

2. También Baluarte de Santiago. El anterior es el de Santa Elena.

Mi sustituto le estrelló en el Studebaker blanco que tenía. Murió unos meses después.

El taxi, luego de recorrer estrechas calles con sólidas casas de tres o cuatro pisos, de aspecto señorial, pero con cierto aire de abandono, entró por un cuadrado portalón de estilo neoclásico en un patio empedrado. En su fondo se veía un edificio de dos plantas con una historiada portada que incluía la puerta y sobre ella un ventanal, adornados con escudos en alto relieve. Sobre la cuadrada puerta verde rezaban unas letras formando un semicírculo, que abarcaba la cruz de malta de sanidad: «Hospital Militar de Cádiz».

Un hombre fornido, muy moreno, con un recortado bigote negro, embutido en un uniforme azul de conserje salió del Hospital, recogió la maleta y el sable que le entregaba el taxista y preguntó;

—El nuevo capitán médico, ¿no?

—El mismo. Juan Salas.

Pagó el taxi.

El portero le condujo a través de un patio en el que una arquería sobre cuadrados pilares limitaba un rectangular espacio ajardinado, dividido en geométricos parterres, a un oscuro cuarto. En dos de los parterres había sendos pozos de mármol sobre cuyo brocal estaba fijado un arco de hierro forjado coronado por una cruz, y una tapa de bronce en la cual se leía: «Se ficieron siendo Yntendente General... 1776».

—El director dijo que, si le parecía bien, de momento podía usar el cuarto del médico de guardia. Las monjas han cuidado de que le hagan la cama con sábanas limpias —añadió.

—¿Y el médico de guardia? —preguntó Juan muy sorprendido.

—Este es un hospital muy tranquilo. El médico de guardia, don Lorenzo, vive aquí al lado. Si hay alguna urgencia, las hermanas le avisan y está aquí en unos minutos.

—¿Y el director?

—Está en el Gobierno Militar. Ya lo verá usted mañana.

El portero salió y cerró la puerta.

Era una habitación amplia de altísimo techo. Tenía dos puertas en dos paredes contiguas, la mitad de arriba de cristal esmerilado. El cuarto no tenía ventanas, toda la luz natural de la habitación era la que provenía de las cristaleras de las puertas. Una cama y una mesilla de noche, evidentemente hospitalarias, dos sillas, un sillón, una mesa redonda, un aguamanil y un armario ropero de color oscuro eran el mobiliario. Sacó el sable del portamaletas y lo apoyó en el armario. Se tumbó en la cama y se quedó contemplando el techo.

Las pasadas goteras, todas secas excepto la de una esquina, habían transformado el techo en el mapa de un planeta desconocido. Olía a una extraña mezcla de humedad, Zotal y jazmín, este último olor procedente del patio que acababa de atravesar. Había dormido muy poco la noche anterior en el tren. Recordó a la muchacha de la litera. Tenía una simpática cara y unas bonitas mamas. Se quedó dormido.

Le despertaron, horas más tarde, unos golpes en una de las puertas. Se sentó en la cama. Cuando se dio cuenta de dónde estaba, dijo:

—¡Pase!

Entró una gordita hermana de la caridad, de rostro colorado y bondadoso, de media edad, con su almidonada trompeta[3] en la cabeza y una bandeja con una taza de café con leche y un platito con galletas en las manos.

—Don Juan. Soy sor Gabriela, la hermana de la sala de medicina. La superiora ha ordenado que le traigamos este tente en pie.

—Encantado de conocerla, hermana. ¿Cuántos enfermos hay ingresados en medicina?

—Enfermos, enfermos, cinco. Los otros diez... Bueno, ya sabe usted lo que pasa con los reclutas. En total quince. ¿Quiere usted subir a ver la sala?

—Hasta que me presente al director, no. No es conveniente, sor Gabriela.

Aunque se notaba que sor Gabriela tenía ganas de hablar, en un ataque de timidez farfulló una despedida y salió de la habitación.

Salió al porticado patio. Había dejado de llover, pero hacía un frío que la humedad introducía hasta los huesos. No tenía ganas de deshacer la maleta. Se puso la gabardina y salió del hospital. Preguntó al portero si necesitaría una llave si volvía tarde.

—No, don Juan. Cuando termino mi turno viene un portero de noche. Ya le diré que está usted fuera.

Se preguntó qué descripción haría de él el portero al vigilante de noche; «El capitán médico está fuera. Un individuo de aspecto *esgalichao*[4], alto, moreno, *peinao* a raya, con gafas con montura de pasta y una gabardina blanca».

La sensación era de andar en el pasado. Calles estrechas, tanto que si se cruzaba con algún raro viandante, uno de los dos tenía que bajarse de la acera. Si intentaba andar por la calzada, los

---

3. Cofia de las monjas de la caridad.
4. Desgalichado. Desgarbado.

escasos coches que circulaban le pedían paso con dos rápidos y cortos toques de bocina. Las puertas de las casas dejaban ver casapuertas[5] en las que el mobiliario eran mecedoras, sillitas bajas y macetones con exuberantes plantas. Atravesó una irregular placita cuyo nombre le sorprendió: «Plaza de la Cruz de la Verdad y del Mentidero». Torció a la derecha y llegó a una plaza cuadrada, la Plaza de San Antonio, uno de cuyos lados era una Iglesia de aspecto colonial, como todas las de Cádiz. Dado que la ciudad tiene tres mil años de antigüedad pensó que, en realidad, las iglesias de Hispanoamérica eran las que tenían un aspecto gaditano.

Frente a él, al otro lado de la plaza, había una calle más despejada que todas las que había recorrido. La Calle Ancha. Casas de dos o tres pisos, con historiados balcones con barrotes pintados de blanco y grandes portalones que dejaban ver primorosas rejas. Justamente, la Calle Ancha no tenía tráfico rodado.

Entró en una cafetería y se sorprendió al ver que estaba completamente llena. La Camelia debía ser la cafetería de moda entre la gente bien de la ciudad. Una docena de pares de ojos de muchachas le contemplaron con curiosidad, valorándole. Encontró una mesa en una esquina y pidió una cerveza y un sándwich de jamón y queso al solícito y amanerado camarero que acudió.

Pasó lo que quedaba de tarde recorriendo las callejas de la parte más antigua de Cádiz, el Barrio de la Viña y el Pópulo. Había pequeñas tiendecitas en las cuales aparentemente se vendía de todo. En algunos muros había empotradas imágenes de Jesucristo o la Virgen, en baldosas vidriadas con un pequeño tejadillo encima.

A modo de cena se tomó un nuevo sándwich mixto en otra cafetería, que también se llamaba la Camelia, en la Plaza de San Juan de Dios, en la cual está el ayuntamiento.

---

5. Zaguán.

Volvió al hospital que, le pareció, estaba casi a oscuras. El portero de noche le saludó con un: «Buenas noches, capitán» y una inclinación de cabeza.

Se acostó, única forma de librarse de la humedad de la habitación, del frío y del aburrimiento.

La mañana siguiente despertó antes de la hora que había marcado en su despertador Cyma. En la habitación hacía frío, acentuado por la humedad. La respiración se condensaba en vapor, que quedaba flotando.

Se puso el albornoz blanco de la Academia de Sanidad. Con su bolsa de aseo se aventuró por el pasillo adyacente a la habitación. Encontró un cuarto de baño, alicatado hasta el techo con baldosas blancas. La bañera, de hierro esmaltado, con algún desconchón que otro, por su tamaño era digna de un emperador romano. Sobre ella, la alcachofa de la ducha más parecía un girasol de buen tamaño. Dejó correr el agua del grifo de la bañera temiendo tenerse que duchar con agua fría.

En una repisa de vidrio había un juego de toallas blancas. En el lavabo, una pastilla de jabón Heno de Pravia con su envoltorio amarillo. Junto a la bañera, una esponja. «Es la mano de las monjas de la caridad», pensó.

El agua ardía. Había cuatro grifos para regular la temperatura del agua en la bañera; dos para la ducha y dos para el grifo de la bañera. Todas las tuberías iban a la vista, adosadas a las paredes. Consiguió ducharse a una correcta temperatura.

Cuando, convenientemente aseado, volvió al cuarto del médico de guardia, se encontró sobre la mesita un tazón de café con leche y un paquete de galletas María.

Finalmente, desayunado y uniformado, se dirigió a la dirección (que estaba en el mismo patio que el cuarto del médico de guardia) dispuesto a enfrentarse con su o sus jefes.

En el antedespacho había un sanitario que se puso firmes como movido por un resorte.

—Dile al coronel que he venido a presentarme. Soy el capitán médico Juan Salas.

Tras unos momentos le abrió la puerta. Una voz desde dentro exclamó:

—Adelante, capitán.

Juan, la gorra en la mano izquierda, con la visera hacia adelante y cuatro dedos sujetándola, el pulgar hacia dentro, manteniendo con la derecha el sable, cogido por la vaina para que no arrastrara, dio cuatro firmes pasos hasta el interior del despacho y comenzó a recitar:

—Se presenta el capitán médico don Juan Salas, destinado a este centro...

Se encontraba ante don Quijote (el director, don Justo) y Sancho Panza (el jefe de servicios, don Fulgencio), que estaban desayunando, igual que había hecho él mismo, café con leche y galletas.

—Capitán, descanse y siéntese. Aquí, en provincias no somos tan ordenancistas —dijo con voz campanuda el director.

—Por si acaso —contestó Juan.

—¿Usted es soltero? —preguntó el jefe de servicios.

—Sí. Completamente.

—¿Dónde piensa vivir?

—No sé. Ya encontraré alguna pensión por aquí cerca — contestó Juan, que sabía por dónde iban los tiros.

—De momento, podría quedarse a vivir en el cuarto del médico de guardia. Alojamiento y manutención gratis. En cambio, cuando haya una urgencia de noche, lo cual puede ocurrir media docena de veces al mes, en lugar de llamar a don Lorenzo, que el pobre está bastante viejo, podrían llamarle a usted.

—¿Y si vengo muy tarde o no vengo una noche?

—Pues simplemente estaríamos como ahora —dijo el director—. En una ocasión, al Dr. García, don Lorenzo, le atropelló un coche en el Campo del Sur y le partió la tibia y el peroné. El taxista, que le conocía, le metió en el taxi y dijo que le llevaba al Hospital Militar. D. Lorenzo gritó:

«¡Al Hospital Militar no! ¡El médico de guardia soy yo!».

El jefe de servicios, que era el cirujano del hospital, tras reírse a carcajadas de la anécdota, se puso en pie y dijo:

—Vamos. Deje el sable y la gorra y vamos a ver su sala.

Sor Gabriela, a la que debían haber avisado que subían, esperaba con una bata clínica en la entrada de la sala. Sonrió al ver que había acertado con la talla. don Fulgencio la dijo riendo:

—No se ría, hermana. Ahora su jefe la pondrá a dieta.

La sala de medicina es grande, algo oscura, con una arquería en el centro, longitudinal, apoyada en una sucesión de columnas de mármol que dividen el recinto en dos largos pasillos en los que se alternan camas arrimadas perpendicularmente a las paredes y mesillas de noche pintadas de blanco. Como había dicho sor Gabriela, había quince enfermos, todos con un pijama blanco con las iniciales del hospital en la espalda. Diez se pusieron firmes a los pies de sus camas al grito de:

—Sala, el teniente coronel!

Cinco permanecieron acostados.

Atravesando la sala había un antedespacho, que hacía de recibidor de la hermana, con viejos muebles oscuros, entre ellos una librería—buró llena de viejísimos libros religiosos.

Don Fulgencio se despidió:

—Bueno. Te dejo con la hermana. Voy a pasar visita en mi sala.

El despacho, grande y con pocos muebles, sin más huellas del predecesor (que había fallecido de una hemorragia cerebral) que unos paquetes de picadura de tabaco en un cajón, un número de *World Wide Abstracts* en la carpeta de encima de la mesa y un abrecartas de celuloide amarillento en cuya hoja apenas se leía: «Uriartril Dr. Grau. Artritismo, Reuma, Gota».

Un reloj parado, de pared y péndulo, un barómetro —higrómetro— termómetro que debía de tener un siglo, una vitrina con medicamentos pasados de fecha, un armario empotrado (del que abrió las puertas) vacío.

Dos sillas. Un sillón de tijera tras la mesa.

Sor Gabriela, con las manos cruzadas sobre el regazo, contemplaba en silencio la inspección.

— Don Juan, ¿quiere que pasemos visita?

—Bien. ¿Hay por ahí un fonendo?

La hermana sacó de la vitrina un fonendoscopio histórico que le entregó diciendo orgullosa:

—Mandé a un mozo que le pusiera gomas nuevas. Las anteriores estaban pasadas.

Y así comenzó la rutina que iba a seguir una indeterminada cantidad de tiempo:

—¿Cómo te llamas?

—¿De dónde eres?

—¿Qué te pasa?

—¿Desde cuándo?

—¿Por qué crees que te ocurre?

El radiólogo del centro, otro teniente coronel, hombre extrovertido, hiperquinético, muy gaditano y simpático subió a verlo. Llevaba una bata corta, abierta por delante, sin ningún distintivo.

—Bienvenido a esta casa. Yo soy Ignacio, el radiólogo. Estoy un poco loco, pero no soy mala persona. No me pidas demasiadas radiografías. Ya sabes que el presupuesto para placas es escaso. Por cierto, vienes de Madrid, ¿no?

—Sí.

—¿En coche?

—No. En tren. Estoy sin coche. Di de baja el mío con trescientos mil kilómetros. No ganaba para llevarlo al taller. El cableado estaba fatal.

—En el patio, en un garaje, tengo un Audi. Nunca lo muevo. Si necesitas un automóvil, pídele las llaves al portero. Me harás un favor si lo usas.

Bajaron juntos camino del patio de la pérgola. El radiólogo comentó:

—Es bonito este patio, ¿verdad?

—Me encantan esos pozos —dijo Juan.

—En realidad no son pozos, son entradas al aljibe que ocupa el subsuelo de todo el patio. El aljibe se llenaba del agua de la lluvia que caía en la azotea. En caso de sitio ese dispositivo podía ser vital. Ya no se usa.

II

Carnavales

La secretaría del hospital era una sala grande, con ventanales enrejados que daban a la fachada del edificio. Una luz verdosa tamizada por los árboles del patio de entrada convertía la sala en una pecera. Sillas, pequeñas mesas, máquinas de escribir Underwood, papeleras, kilómetros de balduque sujetando carpetas con tapas grises de cartón y archivadores en estantes. La informática era aún un lejano invento.

Juan, con frecuencia, tenía que acudir a aquel despacho en el que tres administrativos y un par de soldados sanitarios espabilados llevaban el papeleo hospitalario. En lo que a Juan afectaba, todo el tema de altas, bajas, propuestas de inutilidad, informes y tribunales.

El jefe de la secretaría era un oficial administrativo, civil, oficinista arquetípico. De los de la Oficina Siniestra de la Codorniz. Pequeño, flaco, con el poco pelo que le quedaba en las sienes cruzando la calva de lado a lado y una sempiterna colilla en los amarillentos dedos.

A mediodía, el trío, dejando de guardia a los soldados de la oficina, se desplazaba a una tasca de la Plaza de Fragela a tomar unos finos y a seguir fumando. Alguna vez, cuando Juan estaba presente a la hora de la espantada (la primera vez le pidieron permiso por cortesía, para hacerla) le invitaron a que los acompañara.

Era un cuchitril ocupado por un mostrador tras el cual unas botas de vino colmaban todo el espacio restante.

Cuando la primera vez le preguntaron qué quería tomar y contestó, para confraternizar con ellos, que un Tío Pepe, los escribanos le miraron con cara de pena y cuando les preguntó cuál era su error, Guillermo le dijo:

—Capitán, este año hay que pedir Carta Blanca. El Tío Pepe no está en su mejor añada —y añadió dirigiéndose al tabernero—: ¡Pónganos unas tapitas de jamón mismo!

—O sea, que cada año hay que pedir el fino según la marca que más calidad tiene, ¿no? Según la añada.

—Claro, don Juan. Un año hay que tomar Fino Quinta, otros Cubillo, Carta Blanca, Mantecoso... Según vengan.

Luego de olfatear y paladear su fino, Guillermo preguntó:

—La semana que viene comienzan los Carnavales de Cádiz. ¿Ha estado alguna vez en ellos?

—No. Nunca. He estado en las Ferias de Sevilla y de Málaga pero no en las fiestas típicas gaditanas.

—No las llame así. Así las ha bautizado el Gobierno intentando convertirlas en una especie de fiestas florales en las que solo faltan las niñas con pololos azules y aros y cintas. Los Carnavales deben ser del tiempo de los fenicios —dijo Guillermo.

—No creo, porque son una consecuencia de la Semana Santa. Herederos de las Carnestolendas. Tolerancia de la carne —dudó Juan.

—Así es —añadió Pedro, otro de los administrativos—. Mi padre, que era muy aficionado a la historia de Cádiz, me dijo que un escritor llamado Agustín de Horozco cita en su *Crónica de la Ciudad de Cádiz* costumbres de los Carnavales de entonces, y es un cronista de finales del siglo XVI.

Y continuó, canturreando por lo bajo:

«¡Qué bonita que es mi Cái,
qué bonita es mi ciudad.
Qué bonita que se pone
cuando llega el Carnaval!»

—Pues sí. Ya verá usted cómo se pone —siguió Guillermo

—Todo el mundo se echa a la calle disfrazado. En la calle y en las tabernas los coros, las chirigotas y las comparsas cantan letrillas satíricas subrayadas por los güiros...

—¿Qué son los güiros? —preguntó Juan.

—Son pitos de caña, que producen un pitido destemplado.

—Los muchachos asedian a los viandantes con unos martillitos de celuloide con una especie de acordeón en los extremos de la cabeza, que emiten un pitido a cada golpe. Y si el golpeado se enfada le cantan a coro, mientras dan vueltas alrededor:

«¡Míralo, míralo,
ya se ha *cabreao*!
¡Míralo, míralo
Ya se cabreó!».

—Bueno, vamos a la oficina, que si no alguien se va a cabrear —terminó Guillermo.

Llegaron los Carnavales y Cádiz dobló el número de sus habitantes, sobre todo con visitantes de los pueblos vecinos. Llamarles turistas a los provenientes de El Puerto, Vejer,

Puerto Real, Chiclana, Jerez, Algeciras o Sevilla, en el año 1968 que corría, parecía impropio. Turistas, como todo el mundo sabía eran una altas, delgadas muchachas procedentes del norte de Europa con larga cabellera rubia y que solían recalar en Torremolinos y acostarse con españoles bajitos, feos y con bigote.

Apenas salió Juan del hospital, en la Plaza de Fragela se encontró embutido en una masa de personas, casi todas disfrazadas. Abundaban los travestis, honrados padres de familia que se habían encasquetado un gorro de fraulein holandesa con largas trenzas de lana, apretados corpiños que estallaban sobre sujetadores rellenos de borra, faldas cortas mostrando peludas piernas con el vello abultando las medias y zapatos de tacón que hacían andar a traspiés a los travestidos. Observó que una de aquellas máscaras le dirigía la mirada, como si le conociese. Le costó trabajo, tras de unos labios pintados de rojo, unas mejillas naranja y unos ojos con sombreado negro y prolongadas pestañas, reconocer a un teniente coronel del Regimiento de Artillería, al cual había visto recientemente en consulta.

Un individuo llevaba al cuello un gran cartel en el que rezaba «Ojo, que mancho». Empuñaba una gran brocha de albañil que de cuando en cuando mojaba en un cubo que portaba en la otra mano. En el cubo otro cartel advertía «Grasa de camión» cuando pillaba a algún descuidado le daba un brochazo. Afortunadamente, lo del cubo era agua.

La multitud le arrastró primero calle Benjumea arriba entre golpes del martillito famoso y puñados de confeti cortado en círculos de colores, tirado a la cara para ver si te entraba en los ojos, hasta llegar al Colegio San Felipe de Neri, donde las Cortes de Cádiz habían votado La Pepa en 1812.

Allí, tras un remolino confuso de mujeres vestidas como niñas, con uniformes de colegio, grupos de ancianos y ancianas en camisón con gorro de dormir, el orinal en una mano y una vela en la otra, y algún grupo de desastrados Cantinflas, se apoderó de él otro flujo laminar que por la Calle San José le dejó en la Plaza del Tío Tiza, punto neurálgico de los Carnavales.

Un individuo que iba disfrazado de vaquero del oeste con su revolver de juguete y sus zahones de cuero repujado le recriminó;

—¡Pero hombre, disfrácese *usté* de *argo*! —Y quitándole a un muchacho de su grupo un ros verde, con visera, se lo encasquetó en la cabeza diciéndole—: Píntele las estrellas con un boli, capitán.

La plaza es un ensanchamiento rectangular bordeado por casas de dos o tres pisos, bañadas en cal, con salientes balcones y enrejadas ventanas.

Lo más característico son las filas de macetas que adornan las paredes, sujetas por aros de alambre a guisa de maceteros, empotrados en ellas.

A él le empotró la muchedumbre en el muro.

Enfrente, sobre un tablao, los miembros de la comparsa Los Plastilina, vestidos con disfraces hechos con láminas de gomaespuma de colores, cantaban, gesticulaban al unísono simulando ser muñecos mecánicos, y hacían música con guitarras, bandurrias y el omnipresente pito de caña.

A su lado, contra la pared, había un grupo de muchachas disfrazadas con una muceta y una larga bata gris. Cada una llevaba una carpeta de cartón azul llena de papeles y unas enormes gafas. Una de ellas le dijo:

—Capitán, se le han caído las estrellas.

Juan la miró sin reconocerla al principio. Luego la boquita de piñón se la recordó. Era la maestra del departamento de literas.

—¡Hola, profesora! ¿Cómo estás?

—Me llamo Emilia —dijo la muchacha con un mohín coqueto—. Dijiste que eres médico cuando nos conocimos, pero no tu nombre.

—Juan Salas, para serviros. ¿Y vosotras? —preguntó a las dos muchachas algo mayores que Emilia, una vistosa rubia y una impresionante morena, de ojos verdes y pelo negro como el papel carbón.

—Somos maestras del mismo colegio de Puerto Real que Emilia. Yo soy María —dijo la morena—. Y ella es Carmen.

—¿Hay algún sitio tranquilo donde pueda uno sentarse, tomar algo y ver pasar a la gente? —preguntó Juan.

—A lo mejor en la Plaza de San Juan de Dios —sugirió María—, pero tendremos que salir al Campo del Sur y dar un rodeo, porque por dentro de Cádiz no hay quien se mueva.

Y cogiendo de la mano a Carmen ordenó:

—Vamos a hacer una cadena, así no nos separarán.

Un travesti, vestido de Madame de Pompadour exclamó viendo arrastrar a Juan:

—¡Ojú, *hiho*! ¿Dónde te llevarán? ¿Qué van a *hasé* contigo?

Otro carnavalero, disfrazado de cirujano, con gorro y tapabocas hizo ademán de cortarle el pito con unas grandes tijeras de cartón que llevaba, a uno, disfrazado de árbitro de fútbol:

—¡Ay! ¡Que me vas a dejar hecho un *transexuá*, picha!

Juan aprovechó la ocasión para coger de la mano a Emilia. Esta se ruborizó. Tenía una mano pequeña y suave. Muy en su papel, María tiraba de todos, Calle Portería de Capuchinos adelante, hacia el Campo del Sur. Tenían que abrirse paso entre la gente disfrazada.

Un individuo muy alto llevaba puesta una túnica azul que descendía hasta unas sandalias por lo menos de la talla cuarenta y seis. En una mano llevaba un cirio encendido y en la otra un escapulario. Con bigote, barbas y el pelo largo, parecía un apóstol. En la cabeza llevaba un corcho hueco de gran tamaño, sujeto a los hombros con alambres, como el que se usa en los nacimientos de navidad para simular el portal de Belén. Un velo le cubría la cabeza y parte de la cara.

—¿De qué va disfrazado ese? —preguntó Juan.

Carmen se volvió y contestó:

—¿Pues no lo ves? De Virgen de la Cueva.

Riéndose de su perplejidad, Emilia le acercó al oído su boquita de piñón y cantó:

«¡Que llueva, que llueva, Virgen de la Cueva!
Los pajaritos cantan, las nubes se levantan.
Que caiga un chaparrón,
que sí, que no,
con azúcar y turrón
que no me moje yo
y que rompa los cristales
del techo de la estación».

Aquella gordezuela y roja boquita cerca de su oído engendró una fuerza magnética que hizo que Juan se cortocircuitara y le plantara una mano en la nuca y un beso en los labios.

La muchacha intentó soltarle la mano. Juan no la dejó.

Un tirón de María que había sorteado el último obstáculo los dejó en el Campo del Sur.

La cadena se deshizo, pero Juan no soltó la mano de Emilia, ni esta hizo ademán de zafarse.

Las luces de Cádiz se alejaban en una perfecta parábola reflejándose en el mar de tinta china. Las olas, rompiendo sobre la escollera, eran el pulso del tiempo. Pasaban grupos de familias con sus componentes disfrazados todos de una misma manera. Carmen y María les habían adelantado. Una u otra se volvían de cuando en cuando a mirarlos.

—Seguro que nos están cortando un traje —dijo Emilia.

Cuando llegaron a La Camelia, la Cafetería de la Plaza de San Juan de Dios y se sentaron, María dijo:

—Yo no creía en el flechazo, hasta hoy.

Emilia estaba con las manos en el regazo, ensimismada.

Carmen y María pidieron sendos anises.

—¿Qué quieres tomar, Emilia? —preguntó Juan.

—Un café con leche y un trozo de tarta de chocolate —musitó.

—El amor da mucha hambre, verdaderamente —comentó María.

—Tráiganos todo eso y otro café con leche para mí —encargó al camarero.

—Tendremos que darnos prisa, o no cogeremos el autobús al Puerto —reconvino María.

—Tómate tranquila tu tarta, Emilia. Yo os llevaré al Puerto en un coche —ofreció Juan.

Emilia le dirigió una tímida sonrisa.

Tomado su café, Juan dijo:

—Voy por el coche, tardaré unos veinte minutos. Si no queréis nada más, voy a dejar esto pagado. Entre tanto, no me despellejéis demasiado.

Carmen, en cuanto salió Juan, reconvino a Emilia:

—¿No vas demasiado deprisa? Además, ese hombre es demasiado mayor para ti. Puede tener treinta o más años.

—Me cae bien. Además, aunque os tengo a vosotras, echo mucho de menos a mi familia... Y me gustan los hombres mayores —confesó Emilia.

—Pero ¿le conoces solo de un rato en el tren y te dejas besar? No te conozco —le increpó Carmen, que era la dominante del grupo.

—Chica, estamos en Carnaval, no me amargues la vida.

Llegó Juan e hizo sonar dos veces el claxon.

—Creo que os llama el capitán médico. —Avisó un camarero que estaba en la puerta.

—Juan no lleva más que un par de meses en Cádiz y lo conoce todo el mundo —dijo Emilia.

Fuera les esperaba Juan en el Audi del radiólogo.

Las dos empujaron a Emilia a sentarse como copiloto.

—Vete acostumbrando —dijo Carmen con cierta mala leche.

—¿Eres rico? —preguntó María.

—No. Soy soltero —contestó Juan riendo—. Y el coche no es mío.

Cuando llegaron a la pensión donde vivían las maestras, una pensión en la llamada Costa del marisco, Juan, que se había bajado del coche para abrirles la puerta, dijo a Emilia:

—¿Quieres venir un momento a contemplar la desembocadura del Guadalete? Con las luces del Puerto, los pesqueros y las barcas flotando en el agua oscura... Es un espectáculo.

Carmen, sin disimular su irritación dijo:

—Hace frío y mañana tenemos que madrugar para ir al colegio.

—Por lo menos me podrás dar el teléfono de la pensión, ¿no? —suplicó Juan—. Podríamos cenar mañana, mejor dicho, hoy, en el Casino Militar. Mientras cenamos se suceden las chirigotas amenizando la cena.

—¿Las tres? —preguntó Emilia.

—Con una carabina tienes bastante. Yo tengo otros planes —dijo María.

—Bueno, pues las dos —aceptó Juan—. Os espero en el Hospital Militar. No lleguéis muy tarde.

III

Meningitis

Aparcó el coche en el patio de entrada del hospital y el portero de guardia de noche salió a recibirle diciendo:

—Capitán, vaya Vd. a la sala. Ha habido un ingreso grave. Don Lorenzo y sor Gabriela están arriba.

Tal y como estaba, subió. El médico de guardia y la monja estaban en la habitación pequeña, junto al despacho, donde ingresaban a los enfermos graves, cuando no había ingresadas mujeres.

El ingresado era un soldado. Estaba tendido en la cama con el cuello rígido y la cabeza extendida. Farfullaba una incomprensible salmodia. Le habían puesto el pijama reglamentario.

—Es una meningitis —dijo Juan—. Me figuro que meningocócica.

El médico de guardia y Sor Gabriela asintieron.

—Habrá que hacerle una punción lumbar. Sor, prepare la aguja con su fiador, un tubo de 10 cc. y yodo.

—Y una bata y unos guantes —dijo la monja con retintín.

—¿Puedo irme ya? —preguntó don Lorenzo.

Juan le miró con dureza, pero la monja tomándose atribuciones le dijo:

—Sí. Váyase, don Lorenzo.

Cuando salió de la habitación la monja intentó disculparse diciendo:

—No haría más que estorbar.

—En lo sucesivo, las órdenes las doy yo. Levánteme a un sanitario fuerte y que venga a ayudarnos.

El médico se puso la bata, colocó al recluta tumbado de lado, con la espalda paralela al borde del colchón, se puso los guantes y dijo al asustado sanitario, al que había nombrado ayudante:

—Cógele los brazos y las piernas y acércale lo más que puedas las rodillas a la barbilla.

Le palpó las apófisis espinosas de las últimas vértebras lumbares. Dijo al ayudante:

—No mires.

Cogió el trócar y de un solo impulso lo hundió en la zona lumbar del enfermo hasta sentir y vencer una cierta resistencia elástica.

—Sor, el tubo.

Colocado el tubo bajo el pabellón del trócar, sacó el fiador y un chorro de líquido verdoso llenó el tubo. Introdujo nuevamente el fiador y retiró el trocar de la espalda del muchacho.

—Ya puedes mirar. Ponlo boca abajo y vente a lavarte las manos —dijo al asustado sanitario.

Ambos se lavaron las manos con jabón lagarto en el lavabo del antedespacho. La hermana les regó las manos con el alcohol de un frasco de plástico cuyo tapón estaba atravesado por un tubo en forma de gancho.

—Tú te quedas ahora de guardia en la entrada de este cuarto. A las tres, levantas a un compañero y que te sustituya y a las seis, que él haga lo mismo. Si hay un cambio en vuestro compañero, me despertáis.

—Don Juan, no hace falta, ya me quedo yo —dijo sor Gabriela.

—Y ellos también. ¿Para qué sirven los sanitarios? Tendrá usted que cogerle una vía. Vamos a ponerle ampollas de sulfadiazina[6] en suero glucosalino. Le voy a dejar escrita la pauta de tratamiento.

Se sentó en el frailuno sillón para hacer cuentas:

—250 mg ampolla... Para poner 6 gr son 24 ampollas... Sor, ahí le dejo escrito el tratamiento. Me voy a dormir. Si hay algún problema, llámeme.

Sobre las cuatro de la madrugada se despertó sobresaltado. Se puso la bata por encima del pijama y subió a la sala. El sanitario se puso en pie rápidamente desde la cama en que estaba sentado. Sor Gabriela, sentada en una sillita baja junto al enfermo, murmuraba alguna oración. El enfermo parecía menos agitado.

—Ya le han entrado 300 cc

—Se me olvidó sondarle. Traiga una sonda de Foley de calibre... 16.

—Ahora la traigo. ¿Le sondará usted? —preguntó la hermana.

—Claro.

El recluta eliminó una cantidad ingente de orina por la sonda. Su respiración se hizo regular.

— No se va a dormir, hermana?

—Dentro de unos minutos me relevará sor Ángeles.

—No estén dentro de la habitación, pueden vigilarle desde la puerta. No olvide que es una enfermedad contagiosa.

---

6. Recordemos que estamos en 1968. Actualmente, la meningitis meningocócica se trata con antibióticos, pero los casos resistentes a estos se les sigue tratando con sulfadiazina.

Se acostó y durmió con un profundo sueño del que le sacó el agudo campanilleo del Cyma, que había puesto a las ocho y media.

Cuando se tomó su café con leche con galletas, subió a la sala.

Sor Angelines, una sevillana pequeñita, estaba junto al enfermo. Este respiraba profundamente y su cabeza reposaba sobre la almohada. El pulso era regular. Le pellizcó en el dorso de una mano y el recluta la retiró murmurando.

—Parece que está mejor.

Bajó a darle novedades al director y se encontró con que en el Despacho, aparte del jefe de servicios había un matrimonio.

—¿Cómo está el recluta de la meningitis? —preguntó el coronel.

—Mejor. Tiene menos rigidez de nuca y no tiene convulsiones. El pulso es bueno. Le estoy tratando con sulfadiazina.

—Estos son los padres del recluta. Han venido a verle. Quieren que se le traslade a San Rafael.

—Usted es el director —contestó Juan—. Proceda como crea conveniente.

—Pero según el reglamento, tendría que justificar el traslado con un informe de usted en el que me diga que no tiene medios aquí para tratarlo.

—No voy a hacer tal informe en ningún caso. Si en este hospital no hay medios para tratar la meningitis de un soldado, ¿para qué sirve?

—Capitán —dijo el padre con voz campanuda—. Usted no sabe quién soy yo. Tengo poderosos amigos en el Ejército. Quiero que se lleve a mi hijo a San Rafael.

—Pues si tiene usted poderosos enchufes en el Ejército, úselos para sacar del hospital a su hijo sin mi informe —contestó irritado Juan.

—¿Podemos verlo? —pidió la madre en tono conciliatorio.

—Por supuesto. Si el director les autoriza, vengan conmigo.

—Vayan —dijo el director disimulando su regocijo.

Cuando entraron, el sanitario de la sala dio la voz reglamentaria:

—¡Sala, el capitán! —Los enfermos no encamados se colocaron firmes al pie de sus camas.

—Sigan. No voy a pasar visita ahora —dijo Juan.

Entraron en la pequeña dependencia. Solo tenía cinco camas. Bajo la ventana, en el fondo, estaban Rodrigo, el recluta y la hermana, que le estaba cambiando el gotero.

—¡Rodrigo, hijo! —exclamó la madre.

Rodrigo abrió los ojos y clavó en su madre una mirada inexpresiva.

Sor Gabriela, que había terminado dijo:

—Este muchacho mañana estará despierto del todo.

—Entregas un hijo al Ejército y mira lo que le pasa —gruñó el padre.

Juan le miró y no dijo nada.

—Por lo menos podrá haber una interconsulta con un especialista civil que yo busque, ¿no? —preguntó el padre.

—Siempre que lo pague usted, no hay problema. Le recibiré encantado. Salgamos de aquí. No olviden que esta es una enfermedad contagiosa.

Los acompañó a la dirección.

Informó al director: «Ha salido del coma caro. Ahora está en un coma vigil. Mañana estará bien».

—Eso no lo sabe usted —dijo el padre cabreado.

Juan tampoco contestó. Dijo al director:

—Con su permiso, voy a pasar visita.

No había terminado de pasarla cuando le interrumpió el sanitario de la sala.

—El coronel dice que se ponga usted al teléfono.

— Capitán, los padres del muchacho de la meningitis quieren concertar una interconsulta con el doctor Millares, un internista de Cádiz. ¿A qué hora le parece bien que se celebre?

—Mañana por la mañana, a cualquier hora que les venga bien. No pienso salir del hospital.

Por la tarde estaba leyéndose apaciblemente en su despacho el *New England of Medicine* que acababa de entregarle el cartero del hospital, un gallego que no se había contagiado un ápice del acento gaditano. Sor Gabriela hacía punto en el antedespacho luego de vigilar la comida de los ingresados, cuando el portero subió y le dijo:

—En la puerta hay dos señoritas muy guapas que preguntan por usted.

—Vaya. Se me habían olvidado. Dígales que bajo en un momento. Que se sienten en un banco del patio.

Se habían puesto sus mejores galas.

Emilia se quejó:

—Nos habías olvidado, reconócelo.

—He tenido una noche muy movida, perdonadme. Enseguida estoy.

Las llevó al club militar.

La planta baja era un salón alicatado con baldosas que representaban un jardín andaluz. Había una barra en un extremo.

—¿Queréis un fino? —preguntó Juan.

—Bueno. No aguanto mucho alcohol —dijo Carmen.

—Para mí un bíter sin alcohol, aguanto aún menos —aseveró Emilia.

—¡Sosa! —le increpó Juan riendo.

Se sentaron en un tresillo. Unos cuantos oficiales jóvenes los miraban con ganas de intervenir. Un teniente de artillería se decidió:

—Capitán, ¿me presta una?

Juan miró a Carmen y le preguntó:

—¿Quieres que te preste?

—Bueno. Siéntese aquí, teniente —admitió Carmen.

Las dos estaban sentadas en el sofá y los dos en sendos sillones. Juan se inclinó hacia Emilia y le preguntó quedamente:

—¿Quieres ser mi novia?

Emilia enrojeció violentamente y se tapó la cara con las manos. A pesar de que quería decir que sí le pareció que era poner las cosas muy fáciles. Se quitó las manos de la cara y dijo;

—Te conozco muy poco. Pregúntamelo dentro de un mes.

Subieron al comedor, que estaba en el primer piso. Por los grandes y abiertos ventanales se veía el principio de la Calle Ancha, rebosante de gente con multicolores disfraces. Voces, pitos de caña y de los otros, rasgueos de guitarra, el clic de los martillitos de carnaval, trompetas de plástico... Todo junto formaba un pandemónium, una alegre algarabía.

Habían colocado largas mesas en el comedor. El teniente había conseguido una invitación comprándosela al doble de su precio a un compañero del Regimiento. Parecían pasarlo bien Carmen y él.

Mientras pelaban los inevitables langostinos de Sanlúcar subió la primera chirigota.

Se llamaba La banda del tío Perete y luego de una larga melopea, como suelen ser las de las chirigotas, reivindicando las bellezas de Cádiz o las virtudes de los gaditanos, terminaron con un estribillo que hizo reír a Emilia con cristalinas carcajadas:

«Don Perete está tristón
porque tiene mal de amores.
No me seas más guasón,
No me llores, no me llores».

—¿Tienes mal de amores, Juan? —preguntó risueña.

—Sí y ese mal solo se cura con respiración boca a boca de cuando en cuando — contestó Juan—. Y eso que tú... Con esa boquita de piñón igual no eres capaz.

Subieron varias chirigotas y comparsas más, contratadas por el club.

Casi al final de la cena, bastante animado por el vino, Juan se atrevió a colocar una mano en un muslo de Emilia. Esta le dijo en un susurro:

—Quita la mano de ahí o me pongo en pie y grito.

Prudentemente, Juan retiró la mano.

Cuando terminaron de cenar, el teniente Palomino propuso:

—¿Por qué no damos un paseo hasta la Caleta? Con la luna llena de esta noche debe estar preciosa.

—Deberíamos volver a la Pensión. Es tarde —afirmó Emilia.

—El último día que salimos no tenías ninguna prisa y ahora sí. ¿Qué pasa? Yo os llevaré, no *preocuparse*, criatura —dijo Juan imitando el acento gaditano.

—Habla en tu madrileño chuleta. Lo de imitar el acento gaditano se te da fatal —le reconvino Emilia—. Venga, vamos a la Caleta.

Si no sonara tan cursi, diría que el espectáculo nocturno que ofrecía la Caleta era simplemente sublime.

La perfecta bahía, sujeta en un extremo por el Castillo de Santa Catalina y en el otro por el de San Sebastián, brillaba bajo la luna, recorrida por un suave oleaje que hacía cabecear y entrechocar entre si las barcas fondeadas. El balneario iluminado en el centro del arco tenía algo de blanco cangrejo que alargaba las pinzas hacia la orilla. El faro del fuerte de Santa Catalina recorría la noche dibujando los contornos de los objetos y las personas. El aire olía a mar y a las flores del magnolio del Hospital Universitario. Emilia, que sintió que había estado algo seca con Juan, le cogió con las dos manos un brazo y se apretó contra él. Con el rabillo del ojo vio que Carmen y el teniente se estaban dando un beso de tornillo apoyados en la balaustrada.

—¿Tienes frío? —preguntó Juan quitándose la chaqueta y echándosela a ella por encima. Y dirigiéndose a los otros dos les dijo—: Nosotros vamos a por el coche. Si quieres, te recojo a la vuelta, Carmen.

—Vale.

Volvieron los dos en silencio hasta el hospital. Emilia con cierta ansiedad. En realidad, no conocía a aquel hombre. Parecía muy serio, pero ¿qué conducta esperaba de ella?

Ya en el Puerto de Santa María, al llegar a la pensión, Carmen se separó de ellos.

—Os podéis despedir sin testigos.

Emilia le dejó darle un largo beso sin protestar.

—¿Cómo quedamos? —preguntó Juan.

—Llámame la semana que viene. El viernes me iré a Madrid a ver a mis padres. La directora me deja que vuelva el martes. Conduce con cuidado.

Juan volvió a Cádiz hecho polvo.

«Ya soy mayorcito para plantearme un noviazgo puro y angelical», pensaba.

IV

Interconsulta

Cuando Juan entró aquella mañana en su sala, Rodrigo, el recluta, estaba despierto. Tal vez por la excitación simpática de la enfermedad tenía los ojos muy abiertos, redondos como platos. Cuando vio al médico preguntó:

—He estado muy malo, ¿verdad?

—Vaya. Bastante. Pero el peligro ha pasado —le tranquilizó Sor Gabriela, que en las semanas pasadas se había convertido en una incondicional fan de su jefe, dijo:

—Si no es por don Juan te mueres.

—No me haga la pelota, sor. No lo soporto —le reconvino Juan —. Más bien si no es por la sulfadiazina.

Pasando estaba visita al resto de los ingresados cuando aparecieron en la sala los padres de Rodrigo y el doctor Millares.

Este último hizo sonreír a Juan; era el prototipo del «afamado médico de pago».

Físicamente le recordó a Victorio de Sica. Ancho de hombros, pelo entrecano, gafas con montura de oro, un abrigo marrón claro de mezclilla, pantalones grises con finas rayitas blancas, pañuelo al cuello y puntiagudos zapatos que relucían. Bastón con puño de plata.

Se detuvo a mitad de la distancia que le separaba del capitán. Sor Gabriela acudió a él zalamera:

—Don Fernando, ¡cómo me alegro de verle!

Juan se acercó con estudiada indiferencia. El Dr. Millares se quitó un guante y extendió una mano, obligándole a cogérsela.

—Los padres de Rodrigo me han obligado a venir, pese a que yo les he dicho que su hijo estaba en excelentes manos, según he oído.

El capitán anotó la pulla.

—Sí, yo también he oído que usted es el más antiguo y famoso internista de esta pequeña capital de provincias. Pero vamos a ver al enfermo.

Apareció sor Gabriela, que había desaparecido sin que lo notasen, y ofreció una bata blanca al médico civil, quien se quitó el abrigo con la prosopopeya con que el torero le suelta el capote a su segundo y recoge de sus manos la capa.

Cuando entraron en la sala pequeña, Roberto, sentado en la cama, les contempló perplejo.

—¡Vaya! —dijo algo sorprendido don Fernando—. ¡Los medicamentos hoy hacen maravillas!

—Si se utilizan los adecuados, sí —contestó Juan.

Don Fernando se calzó los guantes de goma que también le había proporcionado sor Gabriela e intentó flexionar el cuello de Roberto.

—Sí, aún queda un resto de meningismo —dijo quitándose los guantes y arrojándolos a un rincón.

«Es como si este tío me retase a algo», pensó Juan.

—Parece que el joven capitán ha resuelto brillantemente el problema. —Arrojó la bata sobre la cama más cercana, se echó su abrigo al brazo y dijo: —Capitán, no me acompañe, usted tiene mucho trabajo aquí. Voy a despedirme del director, mi compañero y amigo don Justo.

El padre de Roberto, apabullado por el caché del consultor, balbuceó:

—Don Fernando, la factura...

—No hablemos de esos nimios detalles ahora... Pónganse en contacto con mi secretaria. —Y abandonó la sala, precedido por el sanitario de la dirección.

Los padres de Roberto lo rodearon. El padre le dijo:

—Siento haber tenido un comienzo tan estúpido con usted.

—Sí. Creí que ya no quedaba gente de esta que te dice «Usted no sabe quién soy yo», haciendo que uno piense: «Sí, un estúpido».

Don Roberto padre asimiló la contestación y le tendió una mano:

—Esta tarde nos volvemos a Madrid. No sé cómo agradecerle lo que ha hecho por mi hijo.

Juan cogió afectuosamente la mano que le tendían.

—Mi trabajo ni tiene precio, ni puede ser retribuido —dijo Juan.

En los días siguientes ingresaron dos soldados más con meningitis. Los padres, campesinos de la sierra de Cádiz, eran una sencilla gente que miraba al capitán médico como si fuera un Dios. La sulfadiazina y sor Gabriela volvieron a hacer el milagro y en tres días estaban despiertos, armando jaleo. Juan decidió darles exazol a los demás enfermos de la sala, a sor Gabriela y a sí mismo.

Como consecuencia de su medicina preventiva, esa noche Juan tuvo un *rash* cutáneo y se le inflamó la cara. Llamó al portero y le dijo que levantara a alguna hermana que bajara con una caja de ampollas de Urbasón.

Apareció en unos instantes sor Gabriela que al verle, exclamó:

—Tiene usted los labios como el negrito del Cola Cao, además del sarampión por el cuerpo.

—Hermana, déjese de bromas y póngame juntas dos ampollas de Urbasón de cuarenta intravenosas —dijo el médico.

—¡Qué barbaridad, don Juan! ¿Cómo voy a hacer eso?

—No sea borrica, hermana. ¿No sabe lo que es un edema de glotis?

La hermana enrojeció y, sin decir nada, cargó los cuatro centímetros de las dos ampollas, se sentó a su lado, le colocó la goma de compresión en el brazo y le ensartó una vena.

—Muy, muy despacio, sor.

Estuvo dos o tres días con nerviosismo e irritabilidad producida por el Urbasón. Sor Gabriela estuvo enfurruñada hasta que Juan le dijo:

—Sor. Seguramente me ha salvado la vida.

—No exagere —dijo la hermana riendo.

—No exagero. Vamos a pasar visita.

—Don Juan, no debía haberse levantado. Sabe que yo vigilaría sus tratamientos.

—¿Y quedarme en ese húmedo y oscuro cuarto lleno de corrientes? Me muero.

—Los padres de Alfonso (uno de los meningíticos) le han traído un regalo, unas alfombrillas de pie de cama de piel.

—Gente buena. Me siento más a gusto con ellos que con los empingorotados padres de Roberto. Intentaron darme un cheque.

—¿Y qué hizo?

—Romperlo delante de ellos. ¿Qué iba a hacer?

Sor Gabriela se metió las manos en los bolsillos del delantal y dijo:

—Es usted tremendo.

Una de las Damas de Sanidad Militar que hacía las prácticas en el hospital acudió a Juan a preguntarle algo. Era una morenita de ojos claros bastante vistosa. Instantáneamente le recordó a Emilia. Hacía días que no sabía de ella. Decidió llamarla a la pensión al caer la tarde. Le dijeron que ya no estaba allí, que las maestras se habían trasladado a un piso que habían alquilado entre las tres.

—¿Y no han dejado la nueva dirección?

—No, señor.

Se sintió frustrado, pero siguiendo su filosofía, en último término taoísta, se dijo:

«Agua que no has de beber, déjala correr»... Y siguiendo la filosofía de su padre: «El que pierde una buena mujer no sabe lo que gana».

Pero los sucesos, que parecen casuales, ocurren a veces según un esquema del que solo podemos intuir las líneas maestras y a veces ni eso.

Aquella tarde estaba en el despacho de la sala estudiando. Raramente sonaba el teléfono en ellos, cuando todos los despachos oficiales, incluida la dirección del hospital estaban cerrados.

—¿Don Juan Salas? —Era una voz femenina.

—Sí. Soy yo.

—Soy Carmen, la maestra, la del Puerto.

—La del Puerto se llamaba Lola[7], no Carmen. Perdona, sé quién eres.

—Estoy en Cádiz. En la Camelia de la calle Ancha. Quisiera hablar contigo.

7. *La Lola se va a los puertos*, de Marquina.

—Voy. En diez minutos estoy ahí.

Carmen estaba sentada al fondo de la cafetería ante una coca cola.

—Estás muy guapa. ¿Emilia no ha venido? —preguntó Juan.

—Siéntate, por favor. Emilia ha estado cuatro días en Madrid. A su padre le han diagnosticado un alzhéimer. Va al colegio y, cuando vuelve, se pasa el tiempo en su habitación a oscuras. Apenas come.

—Tal y como lo cuentas eso parece una depresión reactiva —afirmó Juan.

—Además, no nos has llamado en todos estos días, puede que eso también influya.

—¿Y cómo pensabais que os localizara? Os habéis ido de la Pensión sin dejar un teléfono ni unas señas.

—Cierto. Se me olvidó —confesó Carmen—. ¿No podrías venirte conmigo a verla, a ver si cambia? En otro caso tendré que llamar a su madre y contarle cómo está.

—Vente conmigo al hospital y cogemos el coche.

Vivían ahora en la calle Santa Lucía, cerca de la plaza de toros.

Eran las seis de la tarde.

Entraron en el piso, un piso antiguo de altos techos con buenos muebles de caoba.

—Ese bargueño de la entrada es de los que venden muy caros en Sanlúcar. —Valoró Juan.

—Sí, la dueña del piso es la viuda de un bodeguero. Nos alquiló el piso por enchufe de una maestra del colegio. Dice que si lo tiene vacío se le estropea. Espera aquí, voy a sacarla de su cuarto.

El cuarto de estar tenía también un mobiliario caro. Muebles de caoba, frecuentes en las casas antiguas de la provincia. Fotos de gente vetusta sobre el aparador.

Entró Carmen poco menos que arrastrando a Emilia.

Esta tenía la cara hinchada, difícil saber si de dormir o de llorar. Llevaba puesta una bata blanca con minúsculas florecitas de colores y unas zapatillas azules de peluche. La bata transparentaba la ropa interior negra.

—Te he echado de menos —dijo Juan—. Como os habéis cambiado de domicilio sin dejar un teléfono, no podía localizaros.

—Tú dijiste que lo habías dejado en la pensión —dijo Emilia acusadoramente, sin poder evitar un suspiro de alivio—. Creí que...

—Carmen —mandó Juan—. Haz que se vista, vamos a la Costa del Marisco a tomar algo.

—Yo no...

—Tu sí —contestó Carmen—. Empieza por ducharte.

Dejó el coche en el aparcamiento entre el parque y la ría y se sentaron en una de las cafeterías que hay en el rincón en el que comienza el parque, en la intersección de la Calle Luna y la Ribera del Marisco.

—¿Qué te pasa? —preguntó cariñosamente Juan.

—No sé. Mi padre ha comenzado con un alzhéimer. Mi madre, preocupada por su marido, no me ha hecho mucho caso, esta (refiriéndose a Carmen) anda todo el día con su novio, tú no me llamabas, en el colegio me han mandado a las oficinas... —dijo con gruesos lagrimones rodando por sus mejillas—. Voy al servicio a lavarme la cara —dijo bruscamente sin dar tiempo a que la consolaran.

Cuando se quedaron solos, Carmen refirió al médico:

—Eso son parte de sus problemas. Ella estaba muy unida a su padre, pero hay otra cosa que la tiene soliviantada y es mejor que lo sepas. Hay un maestro del colegio, un tal Eduardo, que la pretende y la acosa. Ella no sabe qué partido tomar. Está confusa, así que espabílate.

—Hay otra cuestión que debes saber; Emilia tiene terror a quedarse embarazada. Tenía una hermana mayor, casada. Cuando ella tenía unos catorce años, murieron la hermana y el feto de un parto con presentación de nalgas. Ella piensa que tiene probabilidades de que le ocurra lo mismo. Tú, que para eso eres médico, tienes que convencerla de que no tiene porqué ser así.

Yo me voy a quitar de en medio —dijo levantándose.

—¿Y Carmen? —preguntó al volver Emilia más Betty Boop que nunca.

—Por lo visto había quedado en Cádiz con su novio. Ha cogido el Adriano[8]. Vamos a andar un poco. Vamos a ver la ría.

Ya se había puesto el sol, pero quedaba un resplandor rojizo en el horizonte, que se reflejaba en las aguas de la ría. Emilia sintió un escalofrío. Juan se quitó el tabardo que llevaba y se lo puso por encima. Emilia fijó en los de Juan sus ojos negros, agradecida. Se acodaron en la barandilla del embarcadero del Adriano. Juan, dispuesto a ir a por todas, inquirió:

—Hace más de un mes te pregunté una cosa. No me has contestado aún.

Emilia se ruborizó y guardó un silencio solo interrumpido por el sonido, algo parecido a: ¡flop! ¡Flop! De las ondulaciones del agua de la bahía que iban a morir a sus pies, contra el malecón.

---

8. Barquito que hacía el trayecto Puerto Santa María – Cádiz y viceversa.

Al cabo de una docena de olitas, contestó en voz queda:

—Bueno, sí. Seamos novios, ya que eso quieres. Se está haciendo tarde y hace fresco. Quiero volver a casa.

—¿Eso quiero yo? ¿Tú no lo quieres? ¿Solo lo aceptas? —dijo Juan, sujetándole la cabeza colocándole ambas manos en las mejillas y dándole un beso en los labios.

Emilia, con las mejillas del color de las amapolas bajo la luna, que los iluminaba, susurró:

—Bueno. Ssssí. También yo te quiero.

Volvieron por la Calle Luna cogidos de la mano. Juan se detuvo a propósito ante una joyería.

—Nunca llevas adornos —comentó Juan—. Ni collares, ni pulseras, ni anillos. ¿No te gustan?

—No me gusta llamar la atención.

—Mira ese solitario que hay en el centro de esa fila de anillos. ¿Te gusta?

—Sí, pero...

Sin dejarla terminar de hablar, Juan la arrastró al interior de la pequeña joyería, donde les recibió un pequeño, redondeado y untuoso joyero. Emilia se resistía y murmuraba por lo bajo:

—No... No...

—Por favor. ¿Quiere usted sacar del escaparate ese solitario de oro blanco?

El gordito lo sacó y mirando los dedos de la mano de Emilia dijo, a ojo:

—Creo que es justo su tamaño, señorita.

—Dame la mano derecha —dijo Juan imperativamente.

Emilia, que seguía diciendo que no, sin embargo extendió la mano. Juan le colocó el anillo, que le estaba justo en el dedo corazón. El joyero dijo

—No sea así, señorita, que me estropea el negocio del día. Recuerde lo que decía Marilyn Monroe: «Los diamantes son el mejor amigo de la mujer».

Juan la cogió de la mano para evitar que se lo quitara y preguntó:

—¿Cuánto?

—Como son ustedes una pareja encantadora, les voy a hacer un precio especial: Cien mil pesetas.

—Te suelto la mano para que te lo puedas mirar. No se te ocurra quitártelo, ni ahora ni nunca. —Sacó de un bolsillo interior de la chaqueta un talonario de cheques y un bolígrafo, rellenó un cheque en cien mil pesetas, lo firmo y se lo entregó al joyero. Emilia dijo:

—Haces como si todo fuera casual y teníais preparada esta encerrona.

El joyero sonrió.

Emilia contemplaba el anillo con los ojos llenos de lágrimas. El parlanchín joyero aseveró:

—Mírela. Espero que la haga muchas veces llorar de alegría en su vida.

—Lo intentaré. —Recogió el estuche de la joya, salieron de la joyería y se dirigieron a casa de Emilia, calle Luna arriba.

No había nadie en el piso. Juan la abrazó y la besó en los labios. Tras una corta lucha, venció los morritos que ponía Emilia y entró con la lengua en el húmedo estuche de su boca. Cuando la dejó, Emilia respiraba ahogadamente. Juan comprendió que en aquel momento podría hacer con ella lo que quisiera, pero dijo;

—Tengo el coche en el aparcamiento del puerto. Me voy. Mañana vendré a verte.

Poco después, llegaron juntas Carmen y María. Carmen se la quedó mirando:

—Te encuentro rara. ¿Qué te pasa?

Emilia levantó la mano derecha y agitó los dedos. El anillo lanzó irisados reflejos. Carmen le cogió riendo la mano.

—¡Vaya diamante! ¿Por fin le has dicho que sí al médico?

V

La hija del sargento

Aquella mañana, cuando subió a la clínica de medicina, Juan se encontró con que no estaba la habitual sor Gabriela, que solía salir del despacho dispuesta a ponerle la bata.

En lugar de ella había una desconocida hermana cuya belleza llamó su atención. Tendría unos treinta años y una cara más bien larga, de pómulos altos, con un hoyuelo en la barbilla, ojos negros rasgados y una sensual boca más bien grande de labios carnosos.

Era tan alta como Juan y aunque unos hábitos no son el mejor ropaje para valorar un tipo, era esbelta.

Juan, sorprendido preguntó:

—¿Y sor Gabriela? ¿Quién es usted?

—Soy sor Josefina y no es por hacer un pareado, corrientemente estoy en la cocina. Sor Gabriela está de ejercicios espirituales toda esta semana. Tendrá que conformarse conmigo unos días.

Varias respuestas acudieron a su mente con respecto a lo de «conformarse» con aquella Venus con hábito, pero se los dominó y solo dijo:

—¿Pasamos visita? Coja usted el libro. Está en ese cajón.

La sor cogió el libro; un cuaderno alargado con tapas de cartón azul y lomo también azul más oscuro.

Había más enfermos ingresados que cuando llegó, más de veinte y no solo soldados, sino además varios retirados con problemas cardiorrespiratorios, un guardia civil cirrótico y en la sala pequeña una ancianita con una EPOC, con bala de oxígeno y mascarilla.

Además, había unas decenas de mozos alegantes, procedentes de las cajas de recluta y de reclutas del CIR a los que los médicos del campamento les habían incoado propuestas de inutilidad. El trabajo no le faltaba.

Terminada la visita dijo a la sor:

—Voy a la oficina. Volveré esta tarde a hacer historias.

La sor le contestó inclinando la cabeza. Juan asoció la imagen con la de un cisne blanco evolucionando en un estanque.

A las doce se fue con Guillermo, Paco y Juan, los auxiliares administrativos a la Taberna de la Plaza de Falla. Pedidos los finos de la bodega que había que pedir, les dijo:

—Esta mañana me he encontrado en la sala a una monja que es la mujer más bella que he visto en mi vida.

Guillermo contestó sonriendo:

—Sor Josefina. Le ha impactado, ¿eh? —Y viendo la cara expectante de Juan continuó:

—Es hija de un matrimonio de jerezanos dueños de unas grandes bodegas. El padre, un *pater* familias como los del tiempo de los romanos, la había prometido al hijo de otros bodegueros, con el fin de juntar sus negocios y crear una gran empresa exportadora de vinos, especialmente a Inglaterra.

»La muchacha se negaba porque el chico era un golfo y porque ella ya tenía novio. Pero el padre, sin escucharla, siguió adelante con los trámites de la boda, seguro de dominar a su díscola hija. Cuando llegó el día de la ceremonia, Josefina se escapó y pidió asilo en un convento de monjas de la caridad. El escándalo fue tremendo. El padre la repudió. Ella siguió en el convento y profesó. Luego la destinaron aquí. La superiora la mantiene medio oculta en la cocina para no tener problemas, que sin duda tendría si la airease más.

Otro de los escribientes le aconsejó:

—No intente conquistarla, don Juan. Fracasará.

Juan dijo;

—Solo me admiraba su belleza. Yo ya tengo una novia a la cual quiero.

—Ya lo sabemos —dijo Paco, otro de los escribientes—. Aquí en Cádiz todo se sabe; una morenita, maestra en el Puerto. Dicen que es una monada.

¡Pero si me he declarado hace dos días! ¿Cómo lo saben? —se quejó Juan.

—Lo declararse es el acto oficial, pero lleva unas semanas que era suficiente con ver su cara.

—Está bien, está bien. Tabernero, pónganos una ración de jamón mismo a la salud de mi novia.

Cuando volvió a la sala, estaba llena de gente desconocida.

Sor Justina acudió a él agobiada.

—¿Qué ocurre? ¿Qué hace aquí toda esta gente?

—Son los familiares de una muchacha que acaba de ingresar, está en coma. Deben ser marroquíes.

Entró en la pequeña sala de mujeres. Ocho o diez personas rodeaban la cama donde estaba tendida una muchacha de unos diez y ocho años, en coma, que respiraba irregularmente.

La viejecita de la insuficiencia respiratoria los miraba a todos con cara de pocos amigos, entre otras cosas porque la habían sacado de la sala pequeña.

—Les ruego que salgan de la sala y esperen abajo, en el patio de entrada. Solo uno de ustedes puede estar aquí —ordenó Juan.

Se quedó un individuo de tez oscura y ojos muy juntos. El padre de la muchacha.

—A sus órdenes, capitán. Soy sargento retirado, de la antigua guardia mora del Caudillo. Mi hija está muy mal.

Sor Justina, con las manos metidas en los bolsillos del delantal les contemplaba asustada.

—Sor, vaya a cirugía y traiga dos sanitarios y una camilla. Vamos a trasladar esta muchacha a una habitación individual de las del patio de abajo. Luego tráigame una riñonera con las cosas para hacerle una punción lumbar.

El susto de sor Justina se transformó en pavor.

—Sor, aquí al lado, en la sala de cirugía está sor Carmen. Ella le puede ayudar en todo lo que usted no sepa.

Dos sanitarios bajaron la camilla por la escalera. Juan mismo (los sanitarios tenían miedo a contagiarse), llegados a la habitación la cogió bajo los brazos y las rodillas, su padre le sostuvo la cabeza y la tendieron entre los dos en la cama. La bella muchacha, semiinconsciente, se quejaba del dolor de cabeza. La habitación era de oficial, así que Juan se preparó a enfrentarse con el jefe de servicios.

La muchacha llevaba puesto un camisón blanco de tela muy fina, que se adhería por el sudor al delgado y bien formado cuerpo. El médico mandó a los sanitarios al destacamento.

Sor Encarna, la monja de la clínica de oficiales, apareció en la puerta. Intentó protestar por el ingreso, pero Juan, con un tono de voz quizás demasiado alto dijo:

—Sor, cállese. Esta muchacha va a estar ingresada aquí mientras yo sea responsable de ella. Me va usted a ayudar a hacerle una punción lumbar en cuanto sor Josefina me traiga los trastos.

Cuando llegó la hermana, el médico dijo al padre:

—Salga. Quédese en el patio en uno de los bancos. Ya le diré cómo van las cosas. Haga que toda esa manifestación de familiares se vaya a casa. ¿La madre está fuera?

— No. La pobre niña es huérfana. A la orden, capitán.

Llegó sor Justina con el trócar y el tubo en una riñonera.

—Sor Encarna, necesito yodo, alcohol, un esparadrapo ancho y algodón.

Como había hecho con el soldado días atrás, la colocó en postura. La muchacha, al aproximarle las rodillas a la barbilla, aumentó sus gemidos. Juan explicó:

—En esa postura aumenta la presión del líquido cefalorraquídeo y la cabeza le duele más.

Hizo la punción rápida y limpiamente. El líquido era ligeramente opalescente y salía a chorro. Dejó que saliera bastante líquido para disminuir un poco la presión. La muchacha disminuyó sus quejas.

—Veo que ha traído el libro de visitas, sor Josefina. ¿Quién de las dos se va a ocupar de la muchacha?

—Yo —dijo sor Encarna.

Juan abrió el libro y buscó el tratamiento que había organizado recientemente para el último soldado. Mostrándoselo a la monja dijo:

—Léaselo. Esto es lo que ha de hacer. Si tiene alguna duda, estoy en mi cuarto.

Cogió el tubo y luego de taparlo lo envolvió en una hoja en la que escribió: «URGENTE».

El sargento había cumplido sus órdenes. Solo le acompañaba un muchacho.

—Es el novio. Mi capitán, ¿se salvará mi niña?

—No lo sé. A mí no me parece una meningitis corriente. Si el líquido hubiera sido pus, le aseguraría que sí, pero con un líquido como el que ha salido, no lo sé. Váyase arriba, sor Josefina. ¿No le gusta esto más que andar entre ollas?

A media mañana del día siguiente, le pasaron del laboratorio una analítica en la que decía: «Se ven abundantes meningococos». La muchacha estaba peor. Estaba tan agitada que tuvieron que sujetarla a la cama con sábanas dobladas y vendas. El sargento murmuraba cada vez que se acercaba:

—Mi niña se va a morir.

El segundo día por la tarde, Juan, viendo que la muchacha no mejoraba, fue al laboratorio y abrió la nevera. Afortunadamente, el analista civil, encargado del laboratorio, había guardado el tubo con el resto del líquido cefalorraquídeo. Cogió el tubo y lo metió en una caja de poliuretano de las que se usaban para enviar muestras al Hospital Militar de Sevilla, la llenó de cubitos de hielo y la cerró. Luego se fue con ella a un analista particular que tenía un laboratorio cerca de la calle Ancha.

El analista le reconoció al verle.

—Usted es el internista del Hospital Militar, ¿verdad?

—Sí, don Alfonso. Y tengo un grave problema. En el laboratorio me han dicho que el LCR que traigo aquí hay meningococos. Clínicamente yo diría que es una meningitis tuberculosa. Es una diferencia de vida o muerte. La enferma es una muchacha de dieciocho años.

—Vamos a ver ese líquido. Teñiremos las muestras con Auramina 00 y las miraremos con el microscopio de fluorescencia.

El doctor Alemán tiñó las muestras, las llevó a la platina, dijo a Juan que se sentara y lo hizo él al microscopio.

En la habitación había un gran reloj eléctrico que emitía un seco ¡Tac! en cada salto de la aguja.

Había pasado media hora cuando el Dr. Alemán levantó la cabeza, separándose del microscopio y dijo:

—Capitán. Es una meningitis tuberculosa. Y por la cantidad de bacilos, se trata probablemente de la complicación de una tuberculosis miliar. Te haré un informe.

—Dime que te debo.

—Me debes información sobre qué ocurre con esa muchacha.

—Dame el tubo con lo que queda de LCR —dijo Juan—, lo devolveré a la nevera del laboratorio. Te debo una, Alfonso.

Juan volvió al hospital contento y preocupado al mismo tiempo. No era fácil tratar en aquellos tiempos una meningitis tuberculosa.

Antes de entrar en el hospital, lo hizo en la farmacia. Estaba el subteniente.

—Buenas tardes. A la orden, mi capitán. ¿Qué necesita?

—Cemidón en ampollas. Todas las que me pueda conseguir.

—Puedo conseguirle un envase clínico con 20, de 0.3 gr en veinte minutos. Las pido por teléfono y mando un sanitario.

—Vale. Y envases con un gramo de estreptomicina.

Sor Encarna no estaba localizable. Ordenó a sor Justina que bajara.

Cuando llegó ya había hecho un esquema de tratamiento con Cemidón en infusión continua y estreptomicina intramuscular[9].

—Estaba preparándome para repartir la merienda —se quejó la hermana.

—Déjese de disculpas, sor. Creo que la vida de esta muchacha es más importante. Quítele el gotero que tiene puesto, sustitúyalo con glucosalino y Cemidón a las dosis que indico aquí, medio litro cada seis horas y póngale una inyección intramuscular de estreptomicina un gramo cada día. Ahora mandará el subteniente de la farmacia estos medicamentos.

—Sí, doctor —contestó la monja.

Aisha, la enferma, emitía un quejido sincronizado con la respiración.

Cuando salió el patio le asaltó nuevamente el sargento.

—Ahora sé lo que tiene —le informó— y le he puesto el tratamiento. Pero no sé si se curará ni si le quedarán secuelas. Eso lo veremos en unos días. Toda la familia tiene que pasar por el Olivillo (La Delegación de Sanidad en Cádiz), especialmente los niños y a usted tengo que verlo a rayos, por si podemos descubrir quién la ha contagiado.

Lentamente transcurrieron los días. El jefe de servicios intentó reprenderle por usar para Ana una habitación de oficial. Educadamente lo mando a la...

El especialista civil de análisis clínicos asomó por la habitación de Ana, y al leer la etiqueta que indicaba el contenido del frasco del gotero, se retiró sin decir pío.

---

9. En aquel tiempo era el tratamiento correcto.

El director, que había recibido un telefonazo de El Pardo, le llamó para enterarse de la situación:

—Sí. Aisha Hita. Es hija de un sargento retirado de la Guardia de Franco —informó Juan—. Es la muchacha por la que intentó chorrearme el jefe de servicios por ponerla sola en una habitación de oficiales. Tiene una meningitis tuberculosa. La estoy tratando. Está aún en coma.

—Me han dicho que la mande a Madrid en una ambulancia —dijo el director.

—Haga usted lo que crea oportuno. Usted manda.

El director llamó a un sanitario y le encargó que llamara al sargento.

—Vamos a trasladar a su hija a Madrid en una ambulancia. Si quiere, puede irse con ella.

El sargento, con cara de mala leche, dijo:

—Mi Coronel, mi hija se queda en este hospital. —Dejando descolocado a don Justo, que masculló:

—Bueno. Bueno. Capitán, téngame informado.

Juan, que estaba de tan mala leche como el sargento, preguntó:

—¿Desea usía alguna cosa más? —Y se quitó de en medio.

Al cuarto día estaba Juan a los pies de la cama contemplando a la muchacha. Había adelgazado pese a la nutrición parenteral. Pensó que tenía una cara angélica, con la piel fina transparentando las venas azuladas y el negro cabello extendido sobre la almohada. Su postura era, en horizontal, la de un crucificado, con los brazos extendidos y las muñecas sujetas con vendas a un largo listón de madera que habían introducido bajo el colchón. En un brazo tenía puesto el gotero del Cemidón y en el otro la nutrición parenteral.

Estaba meditando el capitán qué más podía hacer cuando la muchacha abrió los ojos y se le quedó mirando con esa oscura mirada de los recién nacidos, que parece proceder del infinito.

—Sor Josefina, dígale al padre que venga.

Colocó al padre de la muchacha en el sitio que había ocupado él, y la muchacha al verle sonrió.

El viejo bereber comenzó a llorar en silencio.

VI

Los difuntos de Ifni

Pasaban juntos todo el domingo y los eventuales festivos. Muchos días laborables Juan también iba al Puerto a ver a Emilia.

Generalmente, los días de diario Juan la recogía en el colegio e iban a una cafetería de las que dan al río.

Juan se fue dando cuenta de que la maestrita era una persona inteligente, tímida y muy compleja.

Una de las primeras veces que salieron, estando sentados en una cafetería, comentó Emilia, enseñándole el anillo que le había comprado:

—Te pasaste. Me colocaste en una situación violenta en la cual no podía rechazar tu regalo. Era y es excesivo. Me encadenaste con tu anillo. Si no te enfadaras, aún ahora te lo devolvería.

—Lo has interpretado bien. Es una cadena que te une a mí. No te voy a permitir que te separes —contestó Juan cogiéndole la mano y besándosela—. Y no te acepto que me lo devuelvas, no te acepto ni siquiera que te lo quites del dedo.

—Eres un moro. Un individuo impulsivo y supongo que violento. —Le increpó Emilia riendo—. Igual me maltratas en el futuro.

—No te puedo dar garantías. En realidad tengo muy mal genio, pero tú eres algo especial para mí.

Los domingos la iba a buscar a su casa por la mañana e iban de excursión a los pueblos blancos. Juan se había comprado un Seat 1430 rojo oscuro. Madrugaban. Hacían kilómetros. Comían en algún pueblo y al atardecer volvían al Puerto.

Arcos, majestuoso, cabalgando sobre su loma; Castellar, encerrado en su fortaleza; Alcalá de los Gazules, moro, con sus esquinazos como proas de navío; Setenil, luchando por emerger de la grieta entre rocas; Villaluenga en una repisa, horizontal ante un inmenso pedregal; Ubrique, cayéndose desde su empinada ladera; Bornos, hundido entre la carretera y el pantano...

Muchas veces comían en El Bosque en el Parador de las Truchas.

El 1430 rodó por todas las curvas del Puerto del Boyar y de Las Palomas, su escandaloso escape rebotó en todos los bloques salva miedos de las cuestas del Parque natural de Grazalema.

Se besaron en las orillas del río Guadalete al pie de Arcos, del río Barbate o del Pantano de Guadalcacín.

Se besaron y solo se besaron porque Juan sabía que si sobrepasaban el beso no se detendrían hasta el final...

—Yo no quiero arder en el Infierno —suplicaba la muchacha ahogándose.

—Pues casémonos de una vez —respondía Juan.

Como cuando se declaró a ella, Emilia propuso un plazo:

—En seis meses, si no te he devuelto tu anillo, nos casamos.

Llevaba solo cinco meses en Cádiz y era como si llevase toda la vida. La capacidad humana para adaptarse a cualquier situación es asombrosa. Seguramente es el motivo de que fuese la especie animal dominante en la tierra.

Aquella tarde Juan decidió dar un paseo solo.

Estaba en mayo y en un Cádiz distinto al de su llegada en enero. El sol barnizaba las casas con sus rayos haciendo resaltar las fachadas multicolores del campo del Sur. La yema del huevo frito, que era la bóveda de la Catedral Nueva brillaba contra el cielo azul.

Dio la vuelta por las murallas de Puertas de Tierra. En la bahía estaba fondeado un transporte de la Armada con una delgada y alta chimenea de barco antiguo. El Almirante Lobo.

Era un buque construido en 1909 en Estados Unidos y entregado a España en 1953, en virtud del tratado de colaboración entre ambos países firmado por Franco y Eisenhower.

Aquella reliquia había hecho de todo, desde transportar tropas hasta llevar a agua potable a IFNI.

En esta ocasión, según se había informado, traía a Cádiz metidos la mayoría en cajas de munición, setenta y cinco cadáveres de soldados procedentes de diversos cementerios de Ifni.

España los repatriaba para evitar que fueran profanados por los indígenas, como ocurrió en Anual, Argelia, Larache, etc.

La mayor parte de los cadáveres, muchos caídos en los combates de la Guerra de Ifni del 57 fueron enterrados en una parcela comprada por el Ejército en el cementerio de Las Palmas, pero aquellos cuyos restos habían sido reclamados por sus familiares iban a ser trasladados a sus lugares de origen.

La orden de traslado decía que: «Serían depositados en el patio del Hospital Militar de Cádiz y descargados por los sanitarios del mismo».

Unos días antes había llegado la relación de los exhumados traídos a la península, casi todos ellos militares pertenecientes a la Segunda Región Militar y unos veinte a la Primera.

Terminó su paseo tomándose un café en la Camelia de la Plaza de San Juan de Dios y volvió al hospital.

Toda la mañana siguiente estuvieron descargando cajas de munición. El director había decidido, no sin lógica, que las apilasen en un lateral de la capilla del Santo Ángel, medianera con el hospital. La pila de cajas formaba una alta pared. Casi todos habían fallecido según la documentación, una hoja clavada en cada caja, por el año 57, en la Guerra de Ifni. Algunos, que venían en largos féretros de madera, eran más recientes. Uno de ellos, del 68. «Un muerto joven», pensó Juan.

Las semanas siguientes fueron desapareciendo de la capilla, repartidos por la geografía española, enviados a sus familiares para que los enterrasen en sus pueblos.

Un poco más de un año más tarde España arrió su bandera en Ifni.

A Carmen y a Emilia les había tocado aquella mañana el turno de cuidadoras en el recreo de los niños en el colegio. Carmen se dio cuenta de que Emilia andaba ensimismada y rara. Era una muchacha a la que había que arrancar las palabras cuando se ponía así. Se estaba aguantando las ganas de preguntarle, cuando observó que se había quitado el solitario.

—¿Os habéis peleado Juan y tú? Veo que no llevas puesto el anillo.

Con expresión triste, Emilia contestó:

—No nos hemos peleado —y añadió—: Esta mañana he entregado en secretaría una instancia pidiendo la excedencia un año. Tengo que volver a Madrid a cuidar a mi padre.

Carmen la miró horrorizada:

—Estás loca. Estás en un momento crítico en tus relaciones con Juan. ¿Crees que van a aguantar un año tus relaciones por correo? Yo me pego mis revolcones con mi teniente, pero tú, puritana señorita, ¿crees que vas a encontrar otro enamorado que se conforme con unos besitos y que aguante tus cambiantes estados de humor? ¿Y que tenga la categoría social de Juan?

— Tengo que cuidar a mi padre —dijo tozudamente Emilia—. Yo era su niña preferida, su pequeña mimada. Y no quiero seguir un noviazgo por carta. No me parece justo para Juan.

Carmen se alejó para separar a dos pequeños que se estaban zurrando y volvió a la carga:

—¿Has consultado con tu madre? Tienes un hermano y una hermana en Madrid. Tres personas para cuidar a un enfermo que, en cuanto le pongan tratamiento dará poca lata. —Guardó silencio un tiempo y añadió—. Lo que a ti te ocurre es que tienes miedo al sexo, quieres volver con papá, como una niña asustada.

Cuando se terminó el recreo, Emilia corrió a su clase muy enfadada.

Carmen se fue a la secretaría donde estaba ahora María y le preguntó:

—¿Os ha entregado Emilia una instancia esta mañana?

—Sí. La tengo aquí. Pidiendo la excedencia. Está loca.

—No le des curso. Aguántala cuarenta y ocho horas a ver si entre Juan y yo podemos convencerla de que no haga tonterías.

—Está bien, pero me juego un buen rapapolvo —afirmó María.

A continuación, Carmen llamó a Juan por teléfono y le dijo:

—Emilia se ha quitado del dedo tu anillo y ha pedido un año de excedencia para volverse a Madrid a cuidar a su padre.

Luego de unos momentos de silencio, Juan, irritado, contestó:

—Esa muchacha tiene un complejo de Electra que corrientemente tienen las niñas de los tres a los cinco años. He pasado muy buenos momentos con ella, pero está empezando a aburrirme. Quizás me he equivocado. Debí acostarme con ella al comienzo de nuestras relaciones. Ahora estaríamos enredados de un modo indisoluble. Quizás la habría dejado embarazada. Gracias, Carmen. Lo que sea sonará.

—Ven a verla esta tarde. María y yo desapareceremos del piso hasta las diez. Haz lo que tengas que hacer.

Juan se quedó pensativo. Tal vez había mantenido su noviazgo a un nivel demasiado puro. Tal vez llevar las cosas a un nivel más llano aclarara las cosas.

Juan encontró un sitio donde aparcar junto al portal de la casa en que vivían. No tenía una idea clara de lo que iba a hacer. Sabía que Carmen le manipulaba, aunque sus intenciones desde el punto de vista de ella eran buenas. Cuando le abrió la puerta, Emilia llevaba puesta la batita blanca de las flores minúsculas, con botones azules que abrochaban por delante. El sujetador y las bragas, negros, se transparentaban a través de la fina tela.

Se quedó sorprendida al verle.

—Has hablado con Carmen, ¿verdad?

—Así es.

Emilia se metió en su cuarto y dijo:

—Ven. Toma. —Y le dio el estuche del anillo.

—Te dije que no te lo quitaras nunca, pero como quieras. —Se lo guardó en el bolsillo.

—Fue una mala idea regalármelo. Es como una cadena. Siéntate un momento mientras me visto. —Y comenzó a desabrochar la larga hilera de botones de la bata. Se quedó en ropa interior.

Juan se sentó en la cama. Afortunadamente, no estaba allí sor Gabriela para reprochárselo. La conducta de Emilia le pareció incongruente. «Me voy con mi padre, pero me quedo delante de ti en paños menores».

La muchacha tenía el justo panículo adiposo en aterciopeladas redondeces. Una cintura estrecha de la que emergían unas amplias caderas y un recogido vientre. Las mamas y las nalgas levantadas. La piel muy blanca, como traslúcida. A fin de cuentas, tenía veintipocos años. «Por su estructura —pensó Juan—, con el tiempo tendría tendencia a la obesidad.

—Haces gimnasia con asiduidad, ¿verdad? —preguntó.

—Pues sí, claro. ¿Qué vestido me pongo?

—Ninguno — dijo Juan abrazándola.

La había encontrado en un momento lánguido. La besó mientras la arrastraba a la deshecha cama. La muchacha solo suspiró:

—Juan, ¡no! —Sin demasiado convencimiento.

—No te asustes. Tomaré medidas. No te voy a dejar embarazada.

Después de la coyunda, permanecieron en silencio desnudos, tendidos boca arriba, ella con la cabeza sobre el hombro de Juan.

—Ya era tiempo de que dejases de ser virgen, ¿no crees? —afirmó Juan.

Emilia se sentía extrañamente ingrávida. Aún le duraba el orgasmo.

Juan se levantó y se vistió. Ella cogió su ropa y se fue al baño. El sonido de la ducha le hizo sonreír.

Salió vestida con unos vaqueros negros, una blusa blanca y unas zapatillas de deporte.

—Voy a hacer la cama y nos damos una vuelta. —Luego como una explicación a lo que había pasado, exclamó—: La curiosidad mató al gato.

Juan sacó del bolsillo el estuche del anillo y dijo:

—Póntelo. Sigues siendo mi gata.

Cuando volvieron a la casa, Carmen y María contemplaron con curiosidad a Emilia. María preguntó:

—Y hablando de roturas, ¿rompo tu instancia?

—Entre todos me habéis preparado una encerrona, me manejáis como si fuera una muñeca —dijo algo enfurruñada Emilia, a la que le remordía la conciencia.

—Es lo que eres —dijo Juan—, una muñeca. —Y la besó—. Hasta mañana.

Bajó las escaleras canturreando aquello de:

«Mujer, primorosa clavellina
que buscas el amor,
yo soy un caminante que al pasar…».

Pensando en lo imprevisible de las reacciones de una mujer. Aún no lo sabía bien. Debería haber valorado en su justo término la frase de Emilia: «La curiosidad mató al gato». Debió haber comprendido que se refería «a la gata».

No previó ni por un momento que los remordimientos, al fin y al cabo era una beata, más bien la alejarían de él.

VII

Mala suerte

Andrés Saiz nunca tuvo buena suerte. Volvía en el Almirante Lobo, encadenado a uno de los camastros del buque, custodiado por una pareja de la guardia civil y con una pierna escayolada hasta la ingle.

Estaba haciendo la mili en Villa Cisneros.

El calor, el aburrimiento y la escasez de mujeres eran algo insoportable, especialmente para él, buen tipo, guapito de cara, con labia, a quien se le daban más que bien las féminas.

Era una interminable tarde de julio. Acodados en el murete entre las almenas que coronaban el arco de entrada del Cuartel del 4.º Tercio de la Legión, Andrés y Manolo (otro sorche, guripa o peluso) contemplaban aburridos el escaso movimiento en la carretera de entrada a Villa Cisneros.

—Creo que no aguanto más estar aquí —dijo Andrés—. ¿Qué te perece si nos damos una vuelta por el Aiún? Allí hay mujeres españolas, hijas de los funcionarios y militares de la guarnición. Puedo presentarte a alguna. Si cogemos uno de estos *jeeps*, nadie se va a enterar. Nos largamos ahora y volvemos el lunes de madrugada. Nadie nos va a echar de menos hasta entonces, en la oficina.

—Estás como una cabra, Andrés.

Pero al final del segundo whisky (bebida más barata que el agua en Villa Cisneros) el plan no le pareció tan absurdo a Manolo.

El *jeep*, conducido por Andrés, entre vapores de whisky, volaba.

Al tomar una curva, derrapó y se estampó contra una palmera.

Es sorprendente la poca huella que le causó el impacto a la palmera. El *jeep* quedó con el capó abrazado apasionadamente al tronco del árbol. Manolo salió despedido y fue a chocar de cabeza con la única roca que asomaba de la arena por los alrededores. Andrés quedó con la pierna derecha constituyendo parte del amasijo que formaban las tripas del *jeep* en su habitáculo.

Llegó un equipo de la Unidad de Automóviles, la ambulancia y un médico del Hospital de El Aaiún. Este certificó la muerte de Manolo. Luego de mucho trabajo de cizallas, cortafríos y soplete pudieron extraer el miembro inferior izquierdo de Andrés de entre los entresijos del *jeep*.

El traumatólogo dijo al ver aquella catástrofe de pierna:

—Después de todo, has tenido bastante suerte. Pese a tus fracturas de fémur, tibia y peroné, no te has destrozado la rodilla.

Arreglar aquel destrozo llevó varias horas de quirófano en El Aaiún. Clavos placas y cerclaje.

Un tribunal militar condenó a Andrés a dos años de cárcel que cumplir en un establecimiento militar en el Castillo de Santa Catalina de Cádiz.

Una ambulancia lo recogió en el puerto y lo dejó en la húmeda fortaleza defensiva, en forma de estrella, que cierra uno de los extremos de la Caleta.

Le alojaron en uno de los barracones. Descubrió que la mayor parte de sus compañeros de presidio eran testigos de Jehová, encarcelados por negarse a cumplir el servicio militar.

Había, además, algún legionario de colmillo retorcido, un capitán de cocina condenado por robo e incluso un teniente coronel que estaba alojado en una habitación del cuerpo principal, nadie sabía por qué exactamente, aunque se decía que los motivos de su condena eran «políticos». Algunos decían que «por haberse metido con Franco».

Un teniente procedente de tropa y una guarnición de dos docenas de soldados de reemplazo vigilaban el presidio.

Había una capilla, un polvorín a cada lado de la puerta de entrada, pabellones para los reclusos, una enfermería y un destacamento para la tropa. Rodeado en su mayor parte por el mar era un sitio hasta cierto punto apacible, aunque extremadamente húmedo, pese al sol de fuego que abrasaba los patios.

No tuvo mucho trato con los testigos de Jehová que, aparte de su insoportable proselitismo, se renovaban con cierta frecuencia.

El médico de plaza, que atendía la prisión, le había reconocido a su llegada. Cuando llevaba diez semanas le avisó:

—Vendrá por ti una ambulancia y te llevarán al Hospital Militar para hacerte otras radiografías. Verán si se te puede quitar la escayola.

El teniente practicante Enrique Sandoval, que sabía más traumatología que la mayoría de los traumatólogos, estudió las radiografías que le dio su teniente coronel diciendo:

— Te vas a encargar de este recluso. Quítale la escayola.

Enrique pidió a los P. M.:

—Traedme a este al cuarto de curas —y añadió—: ¡Qué bien te han hecho esto! Te lo han colocado en El Aiún, ¿verdad? Has tenido suerte. Tienes tornillos y placas como para construir la torre Eiffel. Vamos a quitarte la escayola. Sor, ayúdeme.

Una especie de ángel en el cual Andrés, en su estado de ansiedad no se había fijado, se acercó a la camilla en la que estaba tendido.

—Acérqueme esa cizalla, sor Josefina.

Absorto en la contemplación de la monja, Andrés ni oyó el chirriar del corte de la escayola. Solo cuando el forzudo practicante separó las dos valvas en que había dividido el yeso despertó de su embeleso con un grito.

Contempló horrorizado su pierna, en la cavidad de la parte posterior de la escayola, como un mejillón en su concha. Estaba renegrida, esquelética, la piel comenzó a arderle...

—¿Se me va a quedar así?

La monja emitió una cascabelera risa. El practicante agarró con sus manazas el escuálido muslo y la macilenta pantorrilla y flexionó la rodilla. Andrés dio un grito.

—Depende de la fuerza de voluntad que tengas. Te enseñaré unos ejercicios, pero lo que tienes que hacer son flexiones y andar. Cógete a los hombros de la hermana e intenta andar.

Sor Josefina enrojeció, pero no dijo nada. Dieron dos o tres pasos. En cuanto pudo, la monja le dijo:

—Apóyese en los brazos de este sillón. —Y se zafó.

Andrés se quedó contemplando embobado a la monja, intentando adivinar sus formas bajo el hábito. Esta, que se dio cuenta, dijo al practicante:

—Como no me necesita más, me voy a la sala, tengo quehacer. —Y salió de la habitación.

—¿Cómo se llama esta hermana? Es la mujer más hermosa que he visto.

El teniente Enrique sonrió:

—Todos estamos enamorados de ella. Todos daríamos una fortuna por verla en bikini, pero ¡olvídate, muchacho! Ha tenido y tiene mucho mejores candidatos que tú para que cuelgue los hábitos y no lo ha hecho. —Le dio un par de muletas—. Cuídalas, me las tendrás que devolver cuando no las necesites. —Y al sanitario—: Acompaña a este a la puerta y espérate a que se hagan cargo de él los del orinal en la cabeza[10].

Saliendo del hospital, apoyado en sus muletas, se cruzó con sor Josefina, que le preguntó sonriendo:

—¿Qué, te manejas?

Andrés volvió a sentir que las flechas de Cupido le destrozaban los ventrículos. No fue capaz de contestar.

Los dos meses que siguieron, Juan se dedicó a la recuperación de su miembro inferior y a soñar con sor Josefina. Mientras hacía flexiones, andaba, hacía la escuadra en las paralelas (en la Prisión había un sencillo gimnasio) o le daba a la bicicleta estática, pensaba cómo se las podría arreglar para volverá ver a aquella beldad. El teniente venía algunas veces al mes a ver su recuperación. Una vez le preguntó:

—¿No podría yo ir a verle al hospital? Así haría ejercicio.

---

10. Los soldados de la Policía Militar llevaban un casco blanco con las iniciales P. M.

—Si los de la P. M. te llevan y te traen, no veo inconveniente. Además, así no interrumpes mi trabajo.

Con su astuta maniobra, Andrés consiguió ver a sor Josefina al menos una vez a la semana.

—Sor, ¿de dónde es usted?

—De las Hijas de la Caridad de San Vicente Paul. ¿Es que no ves la trompeta, pastoso?

—Digo de qué provincia.

—De *Zevilla, hiho* —contestó el teniente Ernesto imitando el acento de la monja—. ¿De dónde va a *zé* una belleza *azí?*

La monja se ruborizó y añadió:

—De Carmona.

En una de las visitas semanales, los de la P. M. lo dejaron en el patio.

—Anda, sube. Te esperamos aquí.

Andrés empujó la puerta de la sala de curas y se encontró con que sor Josefina, con el hábito levantado y un pie sobre una silla se estaba abrochando una sandalia.

Tuvo el tiempo justo para ver una perfecta pantorrilla enfundada en una media negra. La monja se bajó el hábito y le increpó:

—Mirón. Pastoso. Se llama antes de abrir la puerta.

La conversación no pudo seguir por la entrada del teniente en el cuarto. Luego de hacerle efectuar toda clase de ejercicios, el teniente dijo:

—No necesito verte hasta dentro de tres meses. La verdad es que te has recuperado muy bien. ¿Cuánto te queda de castillo?

—Casi dos años, mi teniente.

—Entonces —dijo la monja— me despido de ti, Andrés. A partir del mes que viene la Provincial me ha destinado a Sevilla, al Hospital de la Macarena.

Andrés lanzó una intensa mirada intentando penetrar en la mente de la mujer, en sus pensamientos, pero esta interrumpió el contacto visual e indicó:

—Tengo que dar la comida en la sala.

El amor conduce al derrape mental (como queda bien estudiado en *Romeo y Julieta*).

Andrés, en las largas noches que siguieron, comenzó a alejarse de la realidad. Llegó a la delirante conclusión de que la hermana estaba enamorada de él, pero no se atrevía a mostrarlo. El teniente, el director del hospital, la superiora... Todo el mundo conocía el amor en que ambos se consumían y querían evitar el escándalo.

Concluyó que antes de que Josefina se fuera a Sevilla lo mejor es que se fugaran ambos y se casaran, o mejor aún, que se casasen y la dejara embarazada. Sus padres la cuidarían hasta que él cumpliera su condena... Era posible que al tener una mujer y un hijo que cuidar y considerando que una vez casado se entregaría a la Policía, tal vez le dejaran cumplir su condena sin más aditamentos...

En estas elucubraciones se pasaba parte de sus noches.

Había llegado días antes una nueva remesa de reclutas, sustituyendo a los que se licenciaban.

Uno de ellos, Mariano, era un soldado de procedencia campesina. Alguna vez había ido a Algeciras o a Cádiz. No sacaba malas notas en la escuela del pueblo. Lo que más le gustaba era salir de caza con su padre. Este, antiguo legionario, le había enseñado a tirar. La verdad es que el chaval donde ponía el ojo, ponía la bala. La buena puntería es un don del cielo; hay quien lo tiene y quien no lo tiene.

Conejos, perdices, incluso algún jabalí volvían a su casa frecuentemente al hombro de Mariano o de su padre.

Había estado de recluta en Camposoto, donde el teniente de la compañía le había felicitado por su puntería.

Aquel día le tocaba guardia.

Andrés se levantó al toque de diana. Luego de una tormentosa noche de deseo, decidió que aquel era el día. El mejor momento era después de comer; la mayor parte de los habitantes del Presidio durmiendo la siesta y la guardia, a la sombra, metida en las garitas que había en la punta de cada brazo de la estrella que era la planta del fuerte, huyendo del sol.

Después del rancho salió del comedor y se dirigió al segundo muro, que cerraba el patio común. Lo escaló sin más problemas, pero cuando estaba cabalgando sobre él oyó a Mariano, que estaba en el edificio más alto del presidio que gritaba:

—¡Párate ahí donde estás! ¡Alto o disparo!

Andrés saltó al patio exterior. Ahora solo le quedaba trepar el primer muro, donde estaba el portón de entrada de la fortificación. «A aquella distancia —pensó—, corría poco peligro».

Mariano repitió:

—¡Alto o disparo!

Unas gaviotas asustadas levantaron el vuelo. Los guardianes de las garitas de al lado se acercaron corriendo. Mariano repitió otra vez el alto. Andrés intentó trepar por el muro exterior del Castillo. El piar de las gaviotas le impidió oír el tras, tras del cerrojo del mosquetón máuser modelo 1943, Coruña, de calibre 7.93.

Su cabeza estalló como una sandía arrojada al suelo desde un sexto piso.

Una nube de estorninos se levantó del magnolio del clínico.

—Pero ¿qué has hecho? —preguntó el teniente que había acudido corriendo al oír el disparo.

—Le di el alto. Dos veces. No me hizo caso. ¿Qué quería que hiciera, teniente? —respondió el soldado—. ¿Para qué me ponen de guardia con un fusil y munición si no? A mí, si me ponen en un puesto de caza, cazo.

—Qué bruto eres —dijo el teniente, pensando que el muchacho tenía razón y ponderando su puntería.

Al teniente Sandoval le tocó la tarea de recomponer el cráneo, en lo posible, como si arreglara con lañas una olla rota.

—¡Lástima! —dijo—. ¡Con lo bien que le había quedado la pierna!

VIII.

El terremoto

Emilia y Juan habían quedado por la tarde en el Puerto (de Santamaría) al terminar las clases.

Juan esperó pacientemente en la cafetería que había enfrente del colegio de las muchachas.

Emilia salía con Carmen. Se despidió con la mano y corrió a encontrarse con Juan.

Se dieron un casto beso. Parecía como si el pasado episodio de María nunca hubiera ocurrido.

Emilia dijo:

—Hace mucho que no vamos a Cádiz. Me apetece dar un paseo por la Avenida Apodaca y el Parque Genovés.

—Tus deseos son órdenes —dijo Juan, risueño—. Además, podemos cenar en una tasca que he descubierto junto al mercado, donde dan raciones de exóticos animales, como erizos, lapas, ortiguillas, chorizos...

—¿Chorizos?

—No es un embutido, sino una especie de langostinos grandes, de color rojo, que están de muerte.

Dejaron el coche en el patio del hospital y fueron andando hacia la Caleta. Se sentaron en un banco. Juan tenía cogida de una mano a Emilia, que contaba sucesos del día en la escuela:

—Un niño me ha preguntado que si tenía hijos.

Distraídos como estaban, no se habían dado cuenta; todo el cielo se había transformado en un telón rojo, sangriento, que teñía también de bermellón el mar en la caleta.

Era una puesta de sol extraña: el color rojo no se limitaba a una banda en el horizonte, sino que ascendía hasta un acimut de noventa grados. Todo el mundo se había detenido a contemplarlo. Los pájaros del enorme magnolio que tenían detrás habían cesado en su algarabía habitual. Había un silencio extraño. Toda la gente se sentía en suspenso. Parecía como si fuese a ocurrir algo, una catástrofe telúrica…, no sé.

Juan notó que Emilia le apretaba una mano con fuerza.

Una gaditana que pasaba dijo, mirándolos:

—¡Algo muy malo va a pasar!

Todo el espectáculo duró unos pocos minutos, luego el rojo sangriento se fue desvaneciendo en un gris ceniza.

Los pájaros explotaron en una escandalera y todo se puso nuevamente en movimiento.

Emilia y Juan dirigieron sus pasos al Bar Merovio, junto a Correos, en la Plaza del Mercado.

Se sentaron en una rústica mesa. Acudió un camarero que parecía un bandido de la Alpujarra. Juan pidió media docena de carabineros.

Cuando Emilia intentó comerse uno, el rojizo jugo le llegó hasta los codos. Juan se rio a carcajadas.

—Pareces una mujer vampiro en acción.

—No tengo práctica en comer estos bichos. En Madrid no los he visto nunca. —Se quejó Emilia.

—Pues los hay. En marisquerías caras, como Tres Encinas.

Como es habitual, al menos en el sur, cuando alguien se sienta en un bar, un desfile de desheredados por la fortuna intenta vivir a su costa.

Pasó el vendedor de los cupones de los ciegos, otro de décimos de una lotería de barrio, otra con unas flores más bien macilentas... Finalmente, lo hizo una gitana con aspecto de bruja que les propuso decirles la buenaventura:

—¡Anda, *hiho*, que te voy a *desí* los que vas a *tené* con esta prenda! —Y cogió la mano izquierda a Emilia, sin dejar que se liberara.

Juan, viendo apurada a Emilia, le dio a la gitana unas monedas para que la dejase, pero esta no le soltó la mano, sino que hizo que Emilia le mostrase la palma.

Luego de contemplarla bastante tiempo, la gitana clavó sus negros ojos en los de la muchacha, haciéndola sentirse bastante incómoda y dijo:

—Vais a estar peleaos un tiempo, pero luego os vais a rejuntar y tendréis media docena de churumbeles. —Le hizo una cruz en la palma de la mano, se la soltó y se fue.

—Parecen demasiados churumbeles, ¿no? —preguntó Juan.

—Nunca se sabe —dijo Emilia—, pero lanzar al mundo por una puerta tan estrecha, media docena de paquetes de tres kilos y medio me parece excesivo, así que algo habrá que hacer para controlar la remesa.

—Tú quieres tener la clásica parejita, ¿no? —preguntó Juan.

—Sí. Eso es. Lo que ha vaticinado la gitana supone, además, estar cincuenta y cuatro meses embarazada, o sea cuatro años y medio. Pues no —contestó Emilia.

La mañana siguiente Juan supo que la gaditana del «algo muy malo va a ocurrir» tenía razón, aunque el algo malo había sucedido ya. Todo aquel glorioso cielo rojo estaba motivado por la refracción de los rayos solares en las miles de partículas de polvo traídas por el viento norte, tras el terremoto de Olvera ocurrido el día anterior, 13 de diciembre 1975. El recuerdo del de Agadir, ocurrido cinco años antes volvió a la mente de todos.

Agadir, una ciudad entonces de 13 000 habitantes, a 600 kilómetros al suroeste de Rabat, en la costa, había sido destruida por un terremoto que causó cinco mil muertos.

La ciudad mantenía bastante relación con los pesqueros españoles, que en ocasiones se refugiaban en su puerto.

Afortunadamente, el terremoto de Olvera no tuvo consecuencias graves.

La mañana siguiente, Mariano, el capitán de E. M. se acercó a Juan en el hospital, y le entregó un sobre oficial.

—Te comunicamos ahí que en Sevilla han decidido que, aunque el terremoto de Olvera ha sido de baja intensidad, en plan preventivo se van a hacer unas maniobras, en las cuales se supone ha habido gran número de cadáveres y una posterior epidemia de cólera. Los supuestos enfermos, siguiendo el plan, serían evacuados sobre este hospital.

—Bien —dijo Juan—. Es para lo que se creó este centro. Recuerdo que en uno de los almacenes hay amontonadas un montón de camas preparadas para ese caso.

—¿Camas para enfermos de cólera? —preguntó Mariano.

—Sí. Son unos bastidores de metal con cuatro patas, que soportan una loneta muy fuerte, con un agujero en el centro que se continúa por debajo por una manga.

Ante la cara de perplejidad del capitán, Juan continuó;

—Un enfermo de cólera puede hacer veinte o más deposiciones al día y eliminar por ejemplo veinte litros de líquido por el ano. Líquido que, además, puede contaminar cualquier cosa y transmitir la enfermedad. Debajo de la manga se coloca un recipiente (un orinal, vamos) que se cambia cuando se llena y se esteriliza añadiéndole por ejemplo ácido fénico al cinco por ciento.

»Como hay que dejar las heces con ácido fénico tres horas, por pocos enfermos que tengas puedes encontrarte con un ejército de orinales, llenos de sopa de caldo de arroz, que es lo que parecen las deposiciones de estos enfermos.

Juan preguntó:

—¿El director tiene conocimiento de esto?

—Ha recibido un oficio parecido al tuyo en que, además, se le indica que tú estás implicado en las maniobras.

—¡Hombre, gracias por la confianza! —dijo Juan.

La mañana siguiente, Juan, con unos sanitarios, se dedicó a trasladar las «camillas para coléricos» a una sala que no se usaba y que daba al jardín botánico.

Previamente tuvo que dejarla vacía amontonando en un almacén cercano, muebles, extraños aparatos, como un «ozonizador» aparato eléctrico capaz de producir ozono, autoclaves de impresionante aspecto... Carpetas y carpetas con documentos de principios de siglo, relaciones de reclutas del tiempo de la guerra de Cuba, documentación de las enfermerías y hospitales de campaña creados en la provincia durante la Guerra Civil... Todo ello papeles amarillentos sumergidos en polvo grisáceo.

Luego de hacer que su tropa barriera y fregara el local, Juan dijo a uno de los sanitarios:

—Dile al albañil que quiero para esta tarde todos los muros libres blanqueados con cal y que una limpiadora limpie las baldosas.

Montadas las camas les quedó una clínica bastante apañada. No tenía otra luz natural que la que entraba por la puerta pero eso no suponía una grave objeción dado que se suponía que los que allí ingresaran no estarían como para mirar el jardín.

Pensó que las bombillas, que pendían del techo, muy alto, protegidas con pantallas de porcelana tendrían que estar encendidas todo el día.

Sor Gabriela, a la que Juan no había dicho nada, apareció por la sala de aislamiento con un gran crucifijo de madera. Encontró un clavo adecuado en la pared y lo colgó de él.

—Dice sor Mariana que este crucifijo pertenece a esta sala, cuando esta sala se usaba.

—Bueno, muchachos. Parece que hemos terminado —dijo Juan satisfecho.

Aparte de las camas, habían conseguido unas taquillas de metal que se alternaban con las dos docenas de camas que habían instalado.

—No nos ha quedado mal, ¿verdad, mi capitán? —dijo un sanitario recreándose en la contemplación del trabajo realizado.

La mañana siguiente, el capitán de E. M. estuvo en el hospital a ver la sala que habían preparado.

—Fíjate —dijo Juan—, que está aislada del resto del hospital. Si necesitamos poner más camas, las pondremos.

—Has mandado encalar las paredes, ¿no?

—Sí, claro, no te puedes imaginar cómo estaba esto. Deberías pedirle al director que diese un permiso de tres días a la cuadrilla de sanitarios que me han ayudado a montarlo.

—Dalo por hecho —dijo Mariano—, pero ¿por qué no se lo pides tú?

—Porque no me gusta pedir favores —Exclamó Juan, riendo.

IX

El legionario

Cuando Juan salió de su cuarto aquella mañana, toalla en el hombro y maquinilla de afeitar en la mano, se encontró al teniente Ernesto en el pasillo.

Había junto al cuarto de baño que usaba Juan, una sala de curas en la que el teniente con ayuda de sor Carmen estaba colocando una escayola al hijo de un militar que había salido despedido de su moto y se había roto el cúbito y el radio en la muñeca derecha, la llamada fractura de Colles.

El teniente, luego de darle los buenos días, le dijo:

—En el calabozo tiene usted una joya que trajeron anoche. No quise que le despertaran por que el lejía[11] no parecía tener ninguna enfermedad urgente.

Juan fue primero a secretaría a ver la documentación que venía con el presidiario. Guillermo le dio los buenos días y le dijo:

—Un poco pronto para tomar fino, pero a las doce...

Se sentó y abrió la gruesa carpeta a nombre del recluso. Carlos Saraluce Expósito.

---

11. Legionario.

Documentos del juicio por el cual se le condenaba a cuarenta años de presidio. Aunque el legionario estaba destinado en el Aaiún, el juicio se había celebrado en Las Palmas. Documentos del tribunal que le había comunicado la pérdida de la condición de militar.

Guillermo le informó:

—Se ha solicitado su traspaso a un hospital civil, pero eso puede tardar meses, así que considérelo cliente suyo por bastante tiempo. Además, puede que no lo concedan.

—Pues qué bien —dijo el médico.

La condena era por haber violado y degollado a una indígena de catorce años y haber asesinado de un balazo a su madre, que intentó defenderla, en una pequeña aldea próxima al Aaiún.

El tiro a la madre lo justificaba como defensa propia, porque le había intentado apuñalar por la espalda cuando estaba en lo que estaba. El tajo en el cuello de la hija, con el mismo cuchillo arrebatado a la madre «porque gritaba mucho e iba a atraer a los vecinos».

Finalmente, encontró el informe de un médico. El teniente médico del Hospital de El Aiún se había decantado por una leucemia agranulocítica, es decir, sin mucha proliferación celular, como explicación a la anemia del lejía.

El calabozo estaba en uno de los pasillos que, cada uno bajo un arquillo, salían del centro de los cuatro lados del patio de la pérgola.

Era un amplio cuarto, con una cama de hierro y un váter turco en una esquina, una mesa y una silla. Una ventana que daba a la calle estaba protegida con una reja de gruesos barrotes.

El exlegionario, era un individuo alto, delgado y fibroso. Su cabeza recordó a Juan la de Charles Manson; una descuidada cabellera y una barba apostólica, negra y entreverada de canas, unos bigotes que se unían con la barba. En realidad, apenas se podían colegir sus rasgos. Lo único que le llamó la atención a Juan fueron los ojos, ojos de loco, desorbitados. Ambos hombres se contemplaron sin decir nada. Juan recordó unas frases de Charles Manson:

«Mírame con desprecio; verás un idiota.
Mírame con adoración; verás a tu Señor.
Mírame con atención; te verás a ti mismo».

Le miró con atención y se percató de la palidez de la piel de aquel sujeto; una palidez como de papel blanco mojado.

Pensó que debía tener no mucho más de dos millones de hematíes.

Con una voz herrumbrosa el individuo (que casualmente se llamaba Carlos) y en un tono irónico exclamó:

—A sus órdenes, mi capitán. Le aseguro que en cuanto me recupere un poco y esté un poco más fuerte me escaparé. He venido aquí a descansar un poco.

—¿Qué quieres que haga? —preguntó Juan—, ¿que investigue tu enfermedad e intente tratarla, o que te deje pudrirte tranquilo aquí?

—Investigue, investigue. A lo mejor descubre una enfermedad nueva y le puede poner su nombre.

—¿Cómo sabes tú tanto?

—No siempre he sido legionario. Antes fui periodista. Dejar lisiada a una muchacha me metió en la Legión.

—Y dejar muerta a otra te metió aquí. Mandaré a un practicante a que te tome sangre. ¿Sabes lo que es una punción esternal?

—Como una puñalada con un puñal en mitad del pecho. No sé si me dejaré hacer eso.

—Como quieras. Puede ser la única forma de averiguar lo que te pasa.

El presidiario sonrió sin decir nada.

Pronto advirtió Juan el extraño atractivo que tenía aquel hombre para las mujeres. En el pasillo al que daba el calabozo, que en lugar de cerrarse con una puerta maciza lo hacía con una cancela de gruesos barrotes, siempre había alguna limpiadora, alguna dama de sanidad, incluso alguna monja, de cháchara con el individuo. Los asesinos causan una morbosa atracción en las mujeres. Recordó que Charles Manson estando en la cárcel tenía varias adoradoras, incluso una novia.

En una de sus visitas Carlos le pidió:

—Quiero que me mande un peluquero. Tengo derecho a pelarme, por higiene.

—No tiene más que pedirlo. Mañana le mandaré al del regimiento de al lado.

Al llegar el peluquero, los de la Policía Militar le pusieron a Carlos las esposas con las manos a la espalda, le sentaron en una silla y se quedaron uno a cada lado.

Cuando el barbero sacó la navaja, Carlos le insinuó:

—Córtale el pescuezo a uno de estos guardias, verás que gusto da, ¡raaash! Y la sangre saliendo de la raja como vino tinto de un odre, poniéndolo todo rojo.

Ambos soldados palidecieron, pero no hicieron ningún comentario.

Cuando terminó el peluquero, una montaña de pelo se amontonaba al pie de la silla. El peluquero se fue acojonado. Luego comentó en el regimiento:

—Ahí en el hospital tienen al demonio. Me pidió que degollara con la navaja a uno de la Policía Militar y tuve miedo. Me pareció como si la mano en que tenía la navaja quisiera hacerlo ella sola. Es el demonio.

Si tras una montaña de pelo el legionario atraía a las mujeres, afeitado era una perdición. El jefe de servicio tuvo que ordenar a la Policía Militar que evitara que alguien acudiera a darle conversación.

Un día, en que había quedado con Emilia en la puerta del hospital para ir al cine, Juan le dijo:

—¿Quieres ver a un curioso personaje?

Antonio, que estaba en su chiscón y le oyó, dijo:

—Y tan curioso. Es para las mujeres como la miel para los osos. Nunca he visto una cosa igual.

Se acercó al calabozo. Los de la Policía Militar se pusieron en pie.

Carlos estaba sentado a su mesita leyendo el periódico que alguna adoradora le proporcionaba cada mañana.

—Carlos —dijo Juan—, quiero presentarle a mi novia.

Se levantó y se dirigió a los barrotes de la puerta.

—Soy famoso, ¿no? Tanto gusto, señorita. Quería conocer a un auténtico asesino, a un malvado de verdad, ¿no? ¿Me da la mano?

La cogió entre los barrotes y se la besó.

—Cásese de una vez. Su novio es un buen hombre, aunque un poco simplón.

Luego mirándole el cuello dijo:

—Tú no eres virgen. No os falta más que casaros.

Emilia ni siquiera parecía haber oído las palabras del legionario. Estaba como hipnotizada por los ojos negros del preso.

Juan la arrancó de allí.

Emilia, cuando se recuperó, afirmó:

—Nunca había visto un hombre como este. Si no es el diablo, es un acólito muy próximo.

Luego cuando ya estaban en el Cine Andalucía viendo *Muerte en Venecia*, Emilia se inclinó hacia él y le dijo al oído:

—¡Qué hombre tan extraño! Me gustaría verlo otra vez. Cuando me mira, parece que me viera por dentro.

Juan respondió escuetamente:

—No.

Dentro del ramillete de especialidades que incluye la medicina interna, la hematología constituía la preferida de Juan.

El recuento y fórmula hematológica del preso eran simplemente los de una anemia. Ni siquiera arregenerativa; el sujeto fabricaba hematíes, pero los perdía por alguna parte.

¿Por el intestino? No. Las hemorragias ocultas eran negativas.

¿Era una anemia hemolítica? No. La bilirrubina y sus antecesores eran normales.

¿Era una anemia aplásica? No, el hierro estaba bajo y los reticulocitos altos.

Sor Gabriela, que dedicaba parte de su tiempo a averiguar qué estaba cavilando Juan, dijo:

—Está pensando en el legionario. Ese hombre, desde su celda, tiene loco a todo el mundo. Convendría que se lo llevaran de una vez al presidio del Puerto.

—¿Usted también está enamorada de él? —preguntó Juan.

—Bueno. Ese hombre no es que te enamore. Es que te atrae como un imán a las limaduras de hierro. Suelto, yo creo que puede hacer lo que quiera con cualquier mujer.

—¿Entonces por qué tuvo que matar a dos?

—Porque es el demonio —dijo sor Gabriela persignándose.

Finalmente, el proceso judicial para transferir al recluso Carlos Saraluce Expósito al Penal del Puerto terminó afirmativamente, por lo que en el plazo de dos días saldría una expedición para llevarlo.

El día anterior al de su traslado, al pasar consulta, Juan entró en el calabozo, seguido por una dama de sanidad que le había acompañado en la visita. Pidió a uno de los de la Policía Militar que le trajera una silla y se sentó frente a Carlos al otro lado de la mesa. La muchacha se quedó en pie, junto a la pared.

—Váyase si quiere, Maribel —dijo Juan a la dama de sanidad.

—No querrá —dijo el preso—. Querrá sentir como mentalmente la poseo, mirándome despavorida como el pajarito a la serpiente que se lo va a comer. —E hizo un brusco ademán como si fuera a levantarse. La dama huyó de la habitación despavorida.

—Carlos, con el fin de retrasar su ingreso en un Penal Civil, donde tendrá que hacerse una fama, nos ha estado engañando a todos con una supuesta leucemia que no tiene. Usted consigue perder sangre por alguna parte; tal vez la nariz, las encías..., por donde sea. Algo que los médicos llamamos Ásthenie de Ferjol.

—Digamos entonces que hemos empatado, ¿no, don Juan? —Y le tendió una mano.

Tenía, como muchos antiguos relojeros, la uña del meñique extremadamente larga. Se la dejan así para recoger con ella, como si fuera una pala, las pequeñas piececillas que se les pudieran caer.

—No —dijo Juan—. Ya sé de dónde sale la sangre. Del recto. Usted se causa heridas con esa larga uña introduciéndose el meñique por el ano. Me sería fácil demostrárselo con una anuscopia.

—*Touché* —dijo el preso. Y añadió desviando el tema de la conversación—. Bonita novia tiene. Cásese con ella antes de que aprenda el *Kama Sutra*. Muchos malvados como yo estamos deseando enseñárselo.

—Prefiero el *Ananga Ranga* —contestó Juan.

La verdad es que aquel asesino le caía bien.

La mañana siguiente, sor Gabriela le recibió muy alterada en el despacho.

—¿Qué pasa, hermana?

— Carlos, el legionario, se ha escapado esta noche.

Bajaron los dos a ver la celda. Estaba allí media docena de soldados de la Policía Militar y un teniente, en el pasillo y en la celda.

Juan entró en ella.

—A la orden, mi capitán —dijo el teniente

No hacía falta que le diesen explicaciones. Dos barrotes de la ventana habían sido extraídos de su alveolo superior, constituido por yeso y cemento de trescientos años de antigüedad, y doblados hacia adentro.

—Tienen que haberle ayudado —dijo el teniente—. Hace falta una fuerza sobrehumana para doblar esos barrotes.

—Yo creo que no —dijo Juan— Fíjese en que están doblados hacia dentro. Y fíjese como parte del hueco de los barrotes en el marco está lleno de miga de pan, para que nadie se diera cuenta de lo que estaba haciendo.

—Es el diablo en persona —afirmó sor Gabriela.

—La primera mujer a la que intente perder le perderá a él —contestó Juan—. Este sábado, cuando se acueste, usted haga que la aten a la cama, no sea que el legionario convoque un aquelarre y la atraiga irresistiblemente a él.

Sor Gabriela, persignándose, dijo:

—¡No bromee con esas cosas, don Juan!

Carlos el legionario logró desaparecer. Probablemente consiguió embarcar en algún pesquero y terminar en Marruecos o Argelia. Nunca volvieron a saber de él.

X.

El relojero

Volvió a ingresar en el hospital Luis Gómez, un guardia civil de 33 años.

Era un muchacho de cara triangular, nariz afilada, cabellos y ojos muy negros, grandes, melancólicos, piel de color amarillento aceitunado, por la ictericia. Se parecía algo a García Lorca.

Lo había visto la primera vez que subió Juan a la sala, en enero.

Juan pensó que más parecía un violinista que un guardia civil.

Era uno de los cuatro o cinco cirróticos exmilitares que se encontró en la plaza al llegar a Cádiz, de los cuales dos habían fallecido ya. Esos dos eran trabajadores de las bodegas, las cuales, en tiempos ya algo lejanos, daban parte de la paga a sus obreros en vino.

Este último ingreso duró solo una semana, hasta el «alta por defunción».

Había llegado a un grado de intimidad con él superior al de la mayoría de los enfermos, tal vez por tener una edad próxima a la suya.

Su muerte, por ello, tuvo para Juan mucho efecto, sumado a la sensación de fracaso que tiene el médico ante la muerte de una persona joven, mucho más fuerte que cuando muere alguien con su vida cumplida.

Tuvo algo su muerte de cuento de Poe.

Su entretenimiento era arreglar relojes (no de pulsera, claro, sino despertadores o relojes de pared). Se había suscrito a un Curso de Relojería por correspondencia de una academia llamada CEAC que daba cursos desde guitarra hasta gimnasia. Cuando le daban un reloj estropeado era feliz.

En su penúltima estancia en el hospital arregló el viejo reloj de pared que había en el despacho de Juan, un reloj isabelino con esfera de porcelana, labrada caja de caoba y cristales biselados. Con su péndulo de metal dorado con dos angelitos en bajorrelieve.

Juan pensó, no pudo evitarlo, que por poco que anduviese aquel reloj tras el arreglo, duraría más que el corazón del relojero.

Se había resistido a ingresar esta última vez.

Los últimos días estuvo muy mal, sangrando por la nariz y por una herida que se había infligido en un labio. Finalmente, no tuvo más remedio que ingresar obligado por los vómitos y las heces negras... Porque ya se moría.

Estaba agonizando Luis en el momento en que el médico le daba cuerda al reloj, cuerda que le duraba ocho días. Tontamente, Juan esperaba que en tanto el reloj anduviera, Luis no podía morir. Pero esas cosas solo ocurren en las novelas góticas.

Le acompañaba una muchacha joven, de veintitantos años, pero que aparentaba muchos menos. Insignificante. Ojos pardos claros, dulces, piel blanca con un ligero acné, cabello rubio ceniciento.

Al día siguiente de su ingreso, sor Gabriela le dijo a Juan que el guardia y la joven se iban a casar.

Juan, apiadándose de la muchacha, la llamó al despacho y le dijo:

—Siéntate. Sabes que Luis se va a morir, ¿verdad?

—Lo sé —contestó la muchacha clavando sus ojos en los del médico. Sus manos, aleteando sobre el regazo, expresaban sus emociones más que su cara.

—Quizás tú te figuras que va a durar algún tiempo y no es así. Durará apenas dos o tres días —explicó el médico.

—No importa. Yo lo que quiero es que él muera con la satisfacción de ver que no le abandono.

—Sabes también que cuando te quedes viuda no tendrás derecho a pensión alguna, pues él no lleva suficiente tiempo de servicio, ni vosotros tiempo casados.

—También lo sé. Nos lo dijeron en la comandancia hace unos días.

Juan, mirando a la muchacha con admiración le dijo:

—Eres un caso raro en nuestros días, de abnegación. ¡Que Dios te ayude!

—Luis le aprecia a usted —dijo la muchacha—. Sabe que ha hecho todo lo que podía por él. Que él le bendiga.

Dos días más tarde, los casó el capellán del hospital.

En los días que siguieron, la muchacha fue cambiando, algo como si su belleza interior fuese emergiendo a la piel, transformando sus rasgos. Día tras día fue Juan encontrándola más bella; una nueva luz apareció en sus ojos, su piel se hizo tersa y sonrosada, incluso pareció crecer, quizás porque en su papel de heroína dejó de ir encogida, se soltó el pelo, de color miel, que hasta entonces había llevado en un moño.

En tanto, Luis estaba cada vez más amarillento, más hundido, su vientre más tenso. Ahogándose por la ascitis comenzó a tener hipo. Continuaba vomitando sangre y teniendo deposiciones diarreicas negras, por mucha vitamina K que le pusiera. El pene y los testículos se transformaron por el edema en algo monstruoso.

Juan, con ayuda de sor Gabriela, tuvo que hacerle una paracentesis esperando que estuviese más cómodo.

A la semana del ingreso murió, dejando tras de sí una joven viuda.

—¿Tienes donde estar hasta que sea el entierro? —le preguntó Juan a la muchacha—. Mañana le haré el certificado. En la oficina se podrán en contacto con la Guardia Civil para que paguen el entierro.

—No —contestó la muchacha—. Soy de un pueblo de la sierra de Cádiz. Aguantaré en un sillón hasta el entierro.

Llamó a la hermana.

—Sor Gabriela, búsquele un cuarto a esta mujer para que pueda estar en él. No habrá problema con la comida, ¿verdad?

— Ninguno.

Emilia había tenido que ir a Cádiz. A la Plaza de Mina a la Delegación de Educación, Cultura y Deporte para un tema de becas.

Había llegado demasiado pronto y se sentó en uno de los bancos de la plaza. No había muchos viandantes. Acababan de regar. Palomas y gorriones bebían en los charcos formados por la manguera.

Sentados en la escalera del templete de música situado en el centro de la plaza, había un grupo de niños. Se dijo que no deberían estar allí, en horario de clases. Habían comprado chucherías en el quiosco que había a un lado de la plaza y charlaban apaciblemente. Las altas palmeras y los plataneros creaban cambiantes islas de luz y sombras.

Cuando terminó su gestión en Cultura decidió vencer su timidez e ir al Hospital Militar a ver a Juan. El portero la reconoció antes de que preguntara por el capitán médico. Emilia pensó: «Debo de estar en la boca de todo el hospital». La acompañó hasta la sala de medicina.

Sintió una llamarada de celos: Juan estaba dándole indicaciones de tratamiento, en medio de la sala, a una monja de impresionante belleza. Sor Gabriela había pedido permiso para ver a su madre y había dejado en su puesto a sor Justina, que aún no se había marchado a Sevilla.

—Don Juan. Aquí preguntan por usted —dijo Antonio, el portero.

Juan se dio la vuelta dispuesto a gruñirle que cómo le subía a la sala una visita, pero al ver a Emilia su cara cambió:

—¡Qué sorpresa tan agradable!

—Tenía que venir a Cádiz y pensé en que comiéramos juntos.

—Sor Justina, le presento a mi novia, Emilia Urzáiz.

Ambas mujeres se contemplaron valorándose. Luego la sor le tendió una mano:

—Mucho gusto. Espero que con usted no sea tan hueso como conmigo —comentó la monja con gracejo.

—Antonio, llévela al jardín de atrás —y dirigiéndose a Emilia—: Espérame allí. Verás un sitio único.

Era un extraño lugar que parecía hallarse fuera del tiempo. Edificios y muros con desconchada cal, rodeaban el patio por tres lados. El cuarto límite era una tapia con una puerta de complicado armazón de listones de madera, coronada por un semicírculo de hierro forjado, con una serie de radios en forma de flechas. Las puntas se reunían en el centro donde también en hierro había una fecha: 1889.

Había en aquel jardín un enorme drago de ramas hinchadas y blanquecinas que parecían ancianos miembros humanos, que sostenían manojos de afiladas hojas verdinegras. Tenía un aspecto vagamente sombrío y amenazante.

Bancos de mampostería. Emilia se sentó. La variedad de plantas de aquel vergel era desconcertante. Había campanillas azules, grandes margaritas, rosales... en un silencio resonante.

Apareció sor Justina trayendo en una bandejita una copa de jerez dulce, un platito con pastas y una servilleta bordada. Se quedó en pie ante ella.

Emilia estuvo por decirle a la monja: «Sor, por su culpa tengo unos celos terribles». Pero en lugar de ello preguntó:

—¿Lleva mucho tiempo con don Juan?

La monja se rio, con lo que se la formaron dos hoyuelos a los lados de la boca.

—Yo no estoy con don Juan, sino en la cocina. Hoy estoy en la sala porque la monja destinada allí falta. De todos modos, duraré aquí poco porque estoy destinada a Sevilla. Por lo visto están esperando a que llegue mi sustituta.

Emilia sintió una especie de alivio.

—Aquí está don Juan. Deje la bandeja en el banco, ya mandaré a recogerla.

—Curioso sitio, ¿verdad? —dijo Juan—. Todo el terreno que ocupa el hospital era un antiguo cementerio, donde se enterraban los cadáveres de las víctimas de las frecuentes epidemias que ocurrían en Cádiz como consecuencia del tráfico marítimo. Los terrenos fueron cedidos para hacer un hospital, el de hoy. Este terreno estaba ajardinado, pero en la fecha que ves en la puerta esa, se transformó en jardín botánico cuyos restos supervivientes es lo que vemos ahora.

Emilia se terminó el jerez y colocó la copa en la bandeja. Intentó ponerse en pie, pero Juan, colocando las manos en sus muslos, no le dejó. Se inclinó sobre ella e intentó besarla. Emilia, colocándose una mano delante de los labios, se quejó:

—No seas loco, nos van a ver.

—¿Quién? ¿Las golondrinas? —Le apartó la mano y la besó, saboreando el jerez dulce que se acababa de tomar.

—A mí me gusta más seco —dijo luego a una Emilia que intentaba recuperarse del mareo.

—Vámonos a comer al Restaurante El Faro. Está aquí cerca. Tengo que hablar contigo seriamente.

Anduvieron por el barrio de La Viña. Al entrar por las puertas de cristalera del local, el dueño, Gonzalo, les saludó:

—Buenos días, doctor. Bella señorita le acompaña.

—Es mi novia.

—Entonces me aguantaré los piropos. Venga por aquí, le buscaré una mesa.

—¿Todo el mundo te conoce en Cádiz? —preguntó Emilia.

—Más o menos.

—¿Qué es lo que tenías que hablar seriamente conmigo? Por cierto, me vino el periodo.

—Tenemos que casarnos ¡ya! No podré aguantarme las ganas como hacíamos antes, ni creo que tú toleres una vida sexual a golpe de pastillas anovulatorias o de preservativos. En dos días el capellán del hospital ha casado a una pareja. Podemos casarnos en la iglesia del hospital, eligiendo de testigos a tus amigas, al teniente Palomino y al capitán de la farmacia.

—Juan, eso no puede ser. Parecería que nos casamos corriendo porque yo estoy embarazada. Estoy de acuerdo en que nos casemos pronto, pero yo de traje blanco y en Madrid. Para esto, además, necesito a mi madre.

—Y sí, estoy de acuerdo, no pienso llevar contigo unas relaciones como si fuera tu amante. Lo que hicimos, hecho está, pero no pienso que volvamos a hacerlo hasta que estemos casados, un mes más o menos. —Y se le quedó mirando con expresión de interrogante ansiedad.

Juan se quedó callado, los engranajes de su cerebro girando a gran velocidad. Al final comprendió que la muchacha tenía razón. No le podía quitar una boda de traje blanco y ramo de azahar.

—Vale. Tendrás que pedir un mes de permiso e irte a Madrid. Yo también pediré en el Gobierno permiso para casarnos. —Le cogió la mano del anillo y la besó en la palma.

Les trajeron el salpicón de mariscos.

XI

El médico de guardia

El personaje más entrañable de aquel hospital no había hecho los votos ni era un médico militar o un administrativo; era Lorenzo, el médico de guardia, civil contratado.

Por aquellos días, Juan pensó al verlo: «Este hombre se va a morir pronto. Tardará unos días, tardará unas semanas, pero ya la muerte le ha señalado con su dedo». Sus cianóticos labios y su dificultoso modo de respirar lo anticipaban. Además, había adelgazado hasta la caquexia.

Es un hombre pintoresco, Lorenzo, el de las dos pesetas de jamón para los gatos del patio, el que traía la copa de coñac para el marido de la parturienta, el que aportaba la cena de su casa o del bar de enfrente para el soldado que ingresaba tarde en el hospital o el que, en una ocasión, en la visita del general inspector médico apareció en la recepción con un cucurucho de churros «para el desayuno del jefe de sanidad».

Lorenzo, el médico también de la Seguridad Social que, en los avisos de la gente pobre, en lugar de recetar unos medicamentos, dejaba en la mesa de la cocina cinco duros «para el puchero».

Lorenzo, el imaginativo narrador de raras historias de su vida pasada de médico de pueblo.

Cuando llegó Juan al Hospital Militar de Cádiz, Lorenzo estaba estudiando inglés «para irse a trabajar con los americanos a Rota».

Su estrafalaria figura por las noches a veces hasta asustaba a los soldados ingresados, al ver aquella silueta embozada en un abrigo, que andaba arrastrando los pies en los oscuros pasillos.

En sus interminables guardias se entretenía leyendo antiguos libros desencuadernados, con temas como la batalla de Jutlandia o la vida del almirante Yamamoto y cuando no, con deshechas novelas policiacas de aquella *Serie Oro* de Editorial Molino.

Metido en el frío y húmedo cuarto del médico de guardia, ocupado ahora por el capitán médico, con su palangana mellada en su palanganero, su cama hospitalaria y su armario enorme, desvencijado, que tenía lleno de los más variados objetos.

Juan reunió parte de ellos en un cuerpo del armario para poder utilizar el otro, que limpió, y tiró el resto. Libros, folletos de medicamentos, botes de leche condensada a medio vaciar, mondas de plátano y de naranja y toda la gama existente de frascos medio llenos de medicamentos antiasmáticos.

Durante sus guardias daba él más trabajo a las hermanas que los propios enfermos. Era frecuente encontrárselo en algún solitario cuarto agarrado a una botella de oxígeno como un borracho a su farol, gritándole a la hermana más próxima que le pusiera solufilina.

Utilizando la disculpa de que había sido alférez de milicias y que era médico civil contratado, el director aceptó su voluntad de ser ingresado como enfermo en el Hospital Militar.

Una de aquellas tardes fueron los de la oficina a verle. Delgado, con la apergaminada piel surcada por finas arrugas, un aspecto como de viejo sacerdote judío, los ojos brillantes que te miraban tras la cortina de las pobladas cejas, tumbado en la revuelta cama, entre libros.

Juan, en la visita médica diaria, le preguntaba antes de mandarle cualquier medicamento su opinión. A su ingreso, Lorenzo le había enseñado un montón de radiografías realizadas en la residencia de la Seguridad Social donde se mostraba un cáncer gástrico de la curvatura mayor, por si no era suficiente su insuficiencia respiratoria para enviarle al más allá.

Unos días después de su ingreso murió. Al funeral asistió una docena de personas: Juan, dos monjas, los escribientes del hospital, el tabernero de enfrente y unos grises personajes, supuestamente su familia. A uno de ellos, que debía ser la mujer de Lorenzo, le dieron el pésame.

El Hospital Militar, sin su figura paseando por los patios sombríos, con la bata encima del abrigo, la bufanda encima de la bata y botas de media caña bajo los caídos pantalones no sería el mismo. Juan sintió que la muerte de Lorenzo marcaba el principio de la irreversible agonía del viejo hospital.

XII

Antimonio

Primero llamaron por teléfono. Antonio, el portero, le dijo, cuando atravesaba el patio camino de la sala:

—Preguntan por teléfono si ve usted niños en el hospital.

—¿De qué edad?

Luego de consultarlo, Antonio informó:

—Cinco años.

—Contesta que lo manden al hospital y que yo valoraré si lo trato aquí o si lo mando a Sevilla.

Subió a pasar visita en la sala. Se entretuvo hojeando un *JAMA*[12] que le había traído el cartero del hospital, un macizo gallego al que costaba trabajo entenderlo de cerrado que era.

Cuando bajó de la sala, un sanitario le dijo:

—Mi capitán, han traído una niña pequeña. La sor la ha llevado a un cuarto de oficiales.

Se acercó y entró en la habitación.

Los padres discutían en aquel momento agriamente. El padre, que vestía uniforme de teniente de artillería, decía:

—Había que haberla llevado a ingresar en Sevilla antes que traerla aquí. Esto es el botiquín de un regimiento.

---

12. Revista médica norteamericana.

Ella, vestida muy modestamente, era una mujer joven, delgada, con la cara enrojecida por la ira:

—Haber venido cuando te llamé, no tres días más tarde.

La niña parecía un pollito bajo las sábanas. Llevaba puesto un pelele amarillo. Su carita tenía un color verdoso oliva, sucio. Los ojos eran dos aceitunas negras rodeadas por largas pestañas.

—Ruego a ustedes dejen de discutir en esta habitación. Cuando le haya hecho una historia a esta niña y evaluado su situación veré si la mando a Sevilla.

—Ha dicho el médico de mi regimiento que la niña tiene una leucemia. No creo que aquí tenga usted medios para tratarla.

—Teniente, en primer lugar, no me levante la voz o pediré a sus jefes un arresto. En segundo lugar, tendré que ver si puedo o no puedo tratarla aquí y si está en condiciones de traslado.

En aquel momento entró en la sala sor Gabriela, con lo que el ambiente se despejó un poco.

—Salgan ustedes al patio. Sor, llámeme a un sanitario y dígale que me traiga los papeles del ingreso de esta niña. Y tú me vas a enseñar la tripita, ¿verdad? ¿Cómo te llamas?

—Paloma. ¿Y tú cómo te llamas? —preguntó la niña, con una vocecilla chillona.

—Juan, y la hermana, sor Gabriela —contestó mientras descubría el vientre de la niña. Estaba abombado como el de una minúscula embarazada a término. La piel estaba pálida, tensa como un tambor.

Tenía un bazo enorme que le ocupaba la mitad del vientre.

—Esta niña —dijo a la hermana, que había vuelto— no tiene más de dos millones de hematíes.

Entró el sanitario con la carpeta que contenía los documentos de la niña. Juan terminó de explorarla y dijo al sanitario:

—Avisa a la madre para que entre.

En el volante de ingreso ponía: «Leucemia mieloide aleucémica».

La sor, que lo leyó también, dijo:

—Eso de leucemia aleucémica, ¿no es un contrasentido?

—No en medicina. Quiere decir que no tiene muchos leucocitos, como las leucemias corrientes.

—Doctor mi niña se morirá, ¿verdad? —preguntó la madre que, sin poderse aguantar, había vuelto a la habitación sin que la avisaran—. Mi exmarido me echa la culpa. Dice que esto ocurre porque la niña ha cogido un enfriamiento. Estamos separados, ¿sabe? Es un hombre muy violento.

Cuando Juan salió de la habitación, se acercó al padre de la niña y le dijo:

—Tiene una anemia muy intensa. Mandarla así a Madrid, que es donde hay un servicio de hematología es peligroso. Puede tener problemas cardiacos. Primero le haremos una transfusión.

—Está bien. A sus órdenes.

La transfusión restauró algo el color de la niña, Juan llenó volantes para pedir un hemocultivo, un análisis de sangre y un proteinograma.

—Sor Gabriela —dijo—, creo que nos la vamos a quedar.

Aquella tarde encontró a Emilia especialmente hermosa.

Fueron a merendar a La Camelia de la Calle Ancha.

—Juan, ¿Te das cuenta cómo me miran las muchachas de esa mesa? En realidad, me están considerando un cazador furtivo, que ha cobrado una pieza en su coto privado.

Procurando no mirarlas para no herir susceptibilidades, Juan aclaró:

—La pieza ya me había cazado a mí con un bonito culo enfundado en unos vaqueros negros.

—¡Golfo!

—Estuve casi una noche entera contemplándolo en el tren. Tu madre no me dejaba dormir con sus ronquidos.

Emilia, sonriente, aclaró:

—Luego dice que no ronca.

—Vamos a dar una vuelta por los callejones.

—¿Dónde es eso?

—Cerca de Correos.

Emilia se dejó coger de la mano. Embocaron la calle Sagasta, María Arteaga y llegaron a la Plaza de la Cruz Verde, una pequeña plaza de forma triangular. No había mucha gente. Estrechas calles y casas sólidas, de cuatro o cinco pisos. Pequeños comercios que parecían, y a lo mejor lo eran, de un siglo atrás.

Por la calle Cruz salieron al Campo del Sur, a la espalda de las Catedrales[13].

Se acodaron en el murete que rodea la escollera.

—El mar. Siempre el mar. ¿El mar te habla? —preguntó Juan.

—Si, pero no puedo traducir lo que me dice. Algo relacionado con el tiempo —dijo Emilia.

—Sí. En el mar se confunden dos cosas: el espacio, la infinitud, la distancia y el tiempo, las olas. —Y poniéndole una mano en la nuca que le impidiese retirar la cabeza, la besó.

—¿Ves? Hemos suspendido el tiempo unos segundos —rio Juan. «Lo otro» lo suspende unos minutos.

—Me atontas hablando y en cuanto me descuido te aprovechas.

Aquella noche Juan daba vueltas en la cama. Antes de acostarse, fue ver a Paloma. En la habitación estaban la madre y sor Gabriela.

---

13. La Catedral Vieja y la Nueva.

—Nunca he visto una fiebre así. Le sube y le baja del modo más irregular. Me voy a dormir. Acuéstense una de las dos.

En la cama Juan no podía dormirse. Vueltas y vueltas. Algo le rondaba en la cabeza. Se levantó y se fue al laboratorio. Enchufó el viejo calentador de resistencias y buscó las extensiones que habría hecho el analista. Cogió los cinco portas y se sentó al microscopio. Un campo de rosados e irregulares globos se extendía ante él. Los glóbulos blancos, como deformes medusas, interrumpían aquí y allá el empedrado de hematíes. Miró el reloj: había permanecido media hora contemplando el primer porta. Se dio cuenta de que, tras de él, silenciosamente, había aparecido sor Gabriela, envuelto el hábito en una mantilla color hueso.

—Se va a enfriar —dijo la monja—. Debería ponerse algo por encima. —Se acercó a la percha que había en el laboratorio y le echó por encima la bata del analista—. Algo le abrigará.

No supo cuánto tiempo había estado mirando los portas, cuando en la esquina de uno de ellos vio una medusa más grande que las demás. Situó aquella medusa en el centro del campo visual y debió sentir lo mismo que Orellana al contemplar el Pacífico; tenía delante de los ojos un macrófago, atiborrado de granos de color azulado con dos núcleos rojizos.

Todo quedó instantáneamente claro en su mente:

El color oscuro—amarillento, «de cera vieja», de la niña, el gran bazo, la fiebre irregular..., hasta las largas pestañas.

Se volvió para decirle a la hermana:

—¡Ya sé lo que tiene esta niña! ¡Una leishmaniosis! —Pero la hermana ya se había marchado.

Había estado más de dos horas mirando los portas. Dejó una nota al analista indicándole que el hemocultivo había que hacerlo en un medio NNN. Exultante, se acostó y se durmió inmediatamente.

La mañana siguiente se despertó a las diez.

Sor Gabriela había indicado que no le despertaran, que se había acostado muy tarde.

Desayunado, se fue a la farmacia del hospital y pidió al capitán que le consiguiese cajas de ampollas de Glucantime, un derivado del antimonio que solía curar al enfermo de leishmaniosis en un noventa por ciento de los casos.

A continuación, subió a la sala y pasó visita. dijo a la hermana:

—Ya sé lo que tiene Palomita.

La hermana le contempló interrogante.

—Tiene el «mal del bazo», una leishmaniosis.

Bajaron al patio. El teniente estaba esperándole. Antes de que preguntara nada, Juan le dijo:

—Su niña se va a curar. Tendremos que hacerle un tratamiento que durará un mes, pero si no hay complicaciones se curará.

El teniente contestó:

—Gracias. Entonces hay algo que tengo que hacer. —Y salió apresuradamente del hospital.

Juan entró en la habitación diciendo:

—Esta nena tan mona se va a curar.

La madre gritó sorprendida:

—¿Eso es verdad?

—Tiene una leishmaniosis. Una enfermedad infecciosa, pero tendrá que estar en el hospital un mes. El tratamiento dura veintiocho días. —Luego, dirigiéndose a sor Gabriela—. Hay que ponerle veinte miligramos de Glucantime por kilo y día, durante 28 días. Y hay que ponérselo intramuscular.

—¡Pobre culito! —dijo Sor Gabriela.

—La alternativa es ponerle una palomilla y ponérselo intravenoso. Empecemos intramuscular. ¿Qué pesa esta niña?

—Dieciséis kilos la última vez que la pesé —dijo la madre—. Pero debe de haber perdido peso.

—Ya sabc, sor, trescientos miligramos por día..., un centímetro cúbico al día. Póngale el primero en cuanto traigan las ampollas.

El efecto del antimonio sobre la enfermedad, como comúnmente ocurre, fue espectacular. Paloma dejó de tener fiebre y su barriguita empezó a disminuir su tamaño. Su madre, que también se llamaba Paloma, miraba a Juan y a sor Rafaela como si fueran dos seres celestiales.

Cuando llevaban unos diez días de inyecciones, sor Gabriela dijo a Juan:

—Paloma madre se ha pasado la noche entera llorando.

—¿Por qué? ¿Ha empeorado la niña?

—No. El padre ha presentado en el juzgado una instancia solicitando la custodia de la niña, basada en que la enfermedad que padece se debe al descuido de la madre, según él.

—Ya he dado el parte en el Olivillo[14] de la enfermedad, que es de declaración obligatoria. Tengo que hacer una encuesta epidemiológica; a lo mejor el teniente no lo tiene tan fácil como cree. Los de la oficina me han dicho que tiene un chalet en Chiclana y que es un hombre conflictivo.

Después da pasar visita en la sala, mandó Juan un soldado con la orden de que le trajera a la madre al despacho.

En tanto la madre subía, Juan contempló el despacho. Aquellos sólidos, oscuros, anticuados muebles. El reloj que había arreglado el guardia civil continuaba remachando el tiempo con su tic tac. Sor Gabriela hacía punto en el antedespacho. Parecía

14. Así era conocido en Cádiz el edificio de la Delegación Provincial de Sanidad.

que él estaba en una burbuja fuera del tiempo. Se vio a sí mismo como si su espíritu flotara en el espacio, su cuerpo sentado en el viejo sillón frailuno, tras de la mesa de roble con su escribanía y una carpeta, ambas de cuero. Parecía como si llevara decenas de años allí, ejerciendo una medicina no muy distinta a la que haría Virgili, un médico del XVIII que tenía una calle dedicada en Cádiz.

Paloma madre tenía los ojos hinchados de llorar.

—Señora, tengo que hacer una encuesta epidemiológica. Me han dicho que su exmarido tiene un chalet en Las Mogarizas cerca de Chiclana. ¿Es así?

—Sí. Cuando nos separamos él se quedó con esa finca y yo con la casa de Cádiz en que vivo.

—Y en esa finca habrá, como en toda esa zona, mosquitos en cantidad, ¿no?

—Son una pesadilla —contestó escuetamente doña Paloma.

—¿Unos mosquitos muy pequeños, oscuros, con las patas muy largas, que se posan casi verticales?

—Sí señor. Se meten entre el pelo y hacen que te arda el cuero cabelludo con sus picaduras.

—Son flebótomos —dijo a Sor Gabriela—. ¿No habrá perros en el entorno?

—Mi marido tiene dos en la finca.

—Y la niña, ¿ha estado en esa finca?

—Un fin de semana sí y uno no, que es cuando le toca a su padre tener a la niña. Se la lleva a la finca. Es donde él vive.

—Señora, no llore más. Que sor Gabriela le ponga unas compresas de agua fría en los ojos. No solo no va a perder la custodia de su hija, sino que le vamos a poner difícil a su ex verla cada dos semanas.

Apoyado en su encuesta, Juan solicitó que los perros del teniente Morales, padre de la pequeña Paloma, fueran llevados a Sanidad y examinados. Ambos eran portadores de leishmanias. Fueron sacrificados.

Aquella mañana, Paloma niña correteaba por el patio de la pérgola persiguiendo gatos. Juan estaba sentado con Emilia en un banco. El surtidor crepitaba.

Apareció el teniente Morales de uniforme. Acaban de notificarle la desestimación de su recurso, oficio que llevaba en la mano. Se colocó enfrente de Juan y Emilia, tiró el papel al suelo y sacando la pistola, un nueve largo de reglamento, apuntó a Juan. Este empujó a Emilia fuera del banco y dijo:

—Dispare si tiene huevos.

—Me ha arruinado usted la vida. Ha mandado matar a mis perros. He perdido la custodia compartida de mi hija. Le voy a matar.

—Le he dicho que no tiene huevos —repitió Juan.

Juan continuó sentado. Apareció Paloma niña y dijo:

—Papá, ¿qué vas a hacer? —Y trepando al banco se sentó junto a Juan.

—Nada, nena. Está jugando a policías y ladrones —dijo el médico.

En un momento se llenó el escenario de gente. Llegaron dos policías militares del Gobierno Militar a los que había llamado Antonio por teléfono en cuanto vio entrar al teniente. Paloma madre. Sor Gabriela. Los de la oficina.

El teniente le entregó la pistola a los de la Policía Militar.

—Decid en el Gobierno que no voy a presentar cargos contra este estúpido —dijo Juan. Se agachó y recogió del suelo el oficio denegatorio del Juez y se lo dio a la madre.

Esta dijo tímidamente:

—Gracias por todo.

Emilia, saliendo de su estado de estupor dijo;

—Tú sí que tienes testículos.

Juan cogió en brazos a la niña, que con su pelele amarillo parecía un pollito. Ella preguntó:

—¿Mi papá te quería matar?

—No. Era jugando.

Emilia anotó mentalmente que a Juan le encantaban los niños y que los tenía bien puestos.

XIII.

Cambio de mano

Algo deprimido, una de aquellas tardes, sacó el 1430 del garaje que finalmente le habían proporcionado en el patio del hospital y se fue a ver a Emilia.

Le abrió la puerta Carmen. Más tarde se dio cuenta de que su expresión era algo extraña.

—Pasa al cuarto de estar.

—¿No está Emilia? —preguntó sorprendido Juan, pues habitualmente iba hasta la habitación de Emilia directamente.

—No. Pasa al cuarto de estar y siéntate —insistió Carmen.

Al cabo de unos minutos apareció con un sobre y un paquetito en la mano.

—Emilia se ha ido a Madrid esta mañana. Se ha dado de baja en el colegio, sin que nos enteráramos. Había solicitado, y le han concedido «asuntos propios». Me ha dado este anillo para que te lo devuelva y este sobre. Hasta esta misma mañana no nos había dicho que se iba. Pienso que lo ha hecho así por miedo a que yo intentara convencerla.

Juan se quedó con el sobre en una mano y la caja del anillo en la otra. Palideció intensamente.

Carmen dijo:

121

—Menos mal que te dije que te sentaras.

Pasados unos segundos, la palidez del rostro de Juan fue sustituida por un progresivo sonrojo y una creciente irritación.

—No se va a librar de mí tan fácilmente. La buscaré en Madrid y...

—¿Y qué? —dijo Carmen—. Anda, abre la nota, que tengo ganas de saber qué dice.

Juan se metió el estuche del anillo en un bolsillo y desgarró, más que abrió, el sobre.

«Juan:

La situación no tiene otra salida.

Tengo que cuidar de mi padre, al que han diagnosticado alzhéimer.

No quiero vivir en Cádiz, ni dejar la plaza de maestra en el Puerto que tanto me costó conseguir.

Tengo claro que tú quieres tener un montón de hijos.

Yo no tengo ganas de tener ninguno.

Me atemoriza la esclavitud que supone un rorro.

Primero la aventura de parirlo, que me aterra.

Luego noches sin dormir por el llanto de la criatura, cacas y más cacas.

Litros de meadas. Toneladas de pañales.

Teta a horario fijo, noche y día.

Diarreas, vomitonas, sarampión, escarlatina, paperas.

Y cuando el crío comienza a dar menos lata, otro crío y vuelta a empezar. O tomar la píldora, celulitis, hipertensión, obesidad.

Tampoco me gusta mucho que me soben.

Ni siquiera sé si quiero casarme.

Creo que no he nacido para casada.

Gracias por todo.
He sido feliz contigo, pero por favor, vamos a dejarlo.
Esto se acabó. Adiós.
Emilia».

Le entregó la carta a Carmen, que la leyó de un tirón.

—Es una espantada en toda regla. Últimamente la veía preocupada y rara. No es frecuente que una muchacha no sepa si quiere casarse o no. Incluso las muchachas que se casan tienen unos días de dudas antes del matrimonio. No la entiendo. La verdad es que nunca la entendí —dijo Carmen.

—Es una introvertida. Su pensamiento es como una luciérnaga; ahora estoy encendida, ahora estoy apagada, ahora estoy aquí, ahora estoy allí —murmuró Juan—. Es imposible saber lo que piensa. Si pensaba así, ¿por qué me dejó llegar a tal grado de intimidad con ella? Hemos hablado hasta del número de hijos que íbamos a tener.

—A lo mejor eso es lo que la ha asustado. Pero como dicen en algún corrido mejicano —recordó Carmen—, «tú eres el hombre que la hizo mujer». Siempre te recordará «un poquito».

Bruscamente, Juan se puso en pie.

—Me voy.

—Llama a María —le aconsejó Carmen—. Se ha peleado con su último ligue. Y, físicamente, entre Emilia y María no hay color.

—Eres una manipuladora, Carmen. ¿No has pensado a veces que tus maniobras pueden causar mucho dolor?

—Mira, Juan, no te la cojas con papel de fumar. Recuerda que la mancha de la mora con otra verde se quita. Y más verde que María, imposible.

A pesar de todo, Juan sonrió y exclamó:

—¡Bruja!

Volvió a Cádiz. Dejó el coche en el garaje y se fue a la Camelia de la Calle Ancha meditabundo. Así, bruscamente, se encontraba de estar a punto de casarse, a volver a estar como al principio de llegar a Cádiz.

La propuesta de Carmen no parecía tan mala; María era una extrovertida morena de llamativas formas a la que no sobraba ni faltaba nada, que hacía volverse a los hombres a su paso. Rostro alargado de rasgos perfectos muy de Julio Romero de Torres. A Juan le recordaba a *La chica de la naranja* o a *La niña de las saetas*, el mismo modelo, una bailarina sevillana, Elisa Muñiz, que usaba el sobrenombre de la Amarinta. Únicamente los ojos de María, que no era fácil decidir si eran castaño claro o verdes la separaban del arquetipo.

La llamó al llegar al hospital. Prefería machacar en caliente. Le propuso:

—¿Quieres salir conmigo el domingo?

María le contestó, luego de meditar la contestación;

—A nadie le gusta ser segundo plato. Ya me ha dicho Carmen que te había aconsejado que me llamaras para consolarte. Lo de Emilia no lo entiendo. Es una chica muy rara. En fin, porque salgamos un domingo no va a pasar nada, pero no te prometo más. ¡Ah! A mí no hace falta que me regales anillos de diamantes.

—Vale. El domingo a las diez te recojo en tu casa, si te parece bien.

Cuando fue a recogerla, María se había puesto un traje de punto de seda oscuro, minifaldero, sobre el que destacaba un collar de perlas cultivadas. Unas sandalias de tiras completaban su *look*. Nada más sencillo, si no fuera porque el traje se adhería al escultural cuerpo de la muchacha.

—Coge alguna prenda de abrigo. Vamos a comer en el Parador de Grazalema. En Grazalema a veces hace frío en pleno verano.

—No eres nada partidario de guardar lutos, ¿no?

—Me gusta hacer excursiones por Cádiz, descubrir paisajes y restaurantes, explorar un mundo que dentro de pocos años habrá desaparecido. Si voy solo, no tengo con quién comentar nada, me aburro. Además, no le voy a guardar luto a una muchacha que está como una chota —contestó Juan.

María no dijo nada, pero pensó que algo más habría, habida cuenta del enrojecimiento de la piel que rodeaba los labios de Emilia y las manchas rojas que solía tener en el cuello a la vuelta de aquellas excursiones.

Como no se había abrochado los últimos botones del vestido, que tenía una abertura lateral, sentada en el coche ofrecía a Juan la vista de unos muslos perfectos.

Cerca de Alcalá de los Gazules se colocó sobre ellos la rebeca que llevaba:

—Si no tomo esta medida, pienso que nos la vamos a dar, mirón.

—No os entiendo. Os ponéis ropa para atraer nuestra atención y cuando la atrae, entonces nos regañáis.

—Es un juego. Me miras a ver qué ves por el escote y yo pongo cara de no darme cuenta. Adviertes que no llevo sujetador, pero haces que no te has enterado. Desearías que me desabrochara los botones de arriba, pero no te atreves a decirlo. Yo —y acompañando su frase lo hizo— pongo cara de no saber qué piensas y me desabrocho un botón como si me estuviera ahogando de calor... Es una especie de esgrima.

—Pensé que eras una sencilla maestrita, sin doblez, pero veo que ya no hay gente sencilla.

—Sí la hay —contestó la maestra—. Tú, por ejemplo. Conoces a una muchacha con mi cuerpo, con mi genio y además maestra y te crees que puede ser sencilla. Eres genial.

—¡Vaya estocada! *Touché.*

María se dio cuenta de que mantener una conversación con Juan la ponía nerviosa. De Juan emanaba algo como una ira oculta que él intentaba dominar. Pensó que podía haber sido desencadenada por el plantón que le había dado Emilia. Sacó del bolso un paquete de Winston y se puso un cigarrillo en la boca. Antes de que lo encendiera, Juan se lo quitó y lo tiró por la ventanilla.

—En mi coche no se fuma —dijo sonriendo ácidamente— y no me gusta que fumes. Deberías dejarlo. Tienes que ser bella también por dentro. Unos pulmones cargados de nicotina no se ven, pero se huelen.

María enrojeció. Luego cogió el resto del paquete de tabaco y lo tiró por la ventanilla, en un gesto de sumisión raro en ella.

El resto del viaje estuvo en silencio. Juan aparcó el coche en el Hotel Fuerte Grazalema, al otro lado del valle del río Guadalete. Delante del hotel había una piscina y un porche. Se sentaron en él.

Pidieron dos finos. Juan preguntó al camarero:

—¿Podemos comer en la terraza?

—Claro que sí. Ahora les traigo el menú.

—¿Te gusta este paisaje? —preguntó Juan.

—Sí. El pueblo enfrente, las rocas repartidas por la tierra, los cortijos, la carretera haciendo curvas... Es bonito.

—No sé si bonito es la palabra adecuada. No es grandioso porque no da la impresión de algo grande. Tal vez el concepto más adecuado a este paisaje es «áspero» —afirmó Juan.

María pensó que el adjetivo también definía a Juan. Áspero.

Se levantó del sillón de mimbre y se apoyó en la barandilla que limitaba la terraza, con la manifiesta intención de que Juan y, por extensión, los camareros y las dos mesas ocupadas por turistas que había en la terraza admiraran sus formas.

Se volvió hacia él y preguntó:

—¿Le gustaba este paisaje a Emilia?

Y con aparente incongruencia añadió:

—¿Te seguiste acostando con ella? —Volvió a sentarse y cruzó las piernas.

Juan enrojeció.

—No. Era mi novia, no mi amante.

—Parece que era una muchacha muy religiosa, ¿no? —inquirió María—. Conviví con ella unos meses y no llegué a conocerla.

—Tenía un encanto especial —dijo Juan.

—¿Yo no? —preguntó María.

—Tú estás buenísima.

—¡Grosero! Di que soy bella. Buenas están las natillas con canela y las fresas con nata.

Llegaron tarde al Puerto de Santamaría. Juan se preguntó qué ocurriría si intentaba besarla, pero no lo hizo.

—¿Quieres que quedemos otro día? —preguntó. Juan.

—Ya te llamaré yo —indicó María—. No puedo salir a diario como lo hacíais Emilia y tú. Doy permanencias y salgo muy tarde. —Se dio la vuelta y comenzó a subir las escaleras, dejando a Juan con la sensación de que le habían plantado. Cuando se sentó en el coche pensó que María también se parecía a Cyd

Charisse, la bailarina de *Cantando Bajo la lluvia*.

La mañana siguiente, cuando se dirigía a la consulta, le llamó Carmen.

—¿Por qué no subiste ayer a casa? ¿Qué tal tu salida con María?

—Es una mujer de bandera —ponderó Juan—. Lo sabe y procura que te enteres. Con ella vas vendido, todo el mundo comiéndosela con los ojos y ella mirando desafiante. Quise quedar con ella, pero dijo que ella me llamaría.

—Ya procuraré que te llame, pero no intentes asediarla. Esta no es la tímida Emilia. Salir con ella es como conducir un deportivo; todo el mundo cree que es capaz, pero la mayoría, si lo intenta, se la pega.

—Vale. Esperaré a que me llame. Y un 1430 no es un deportivo, pero casi.

—Me ha dicho que eres un mandón, que no le dejaste fumar en el coche.

—Y si seguimos saliendo, tampoco la dejaré fumar fuera del coche —aseveró Juan.

—Eres un moro.

—Ni llevar minifalda, ni jerséis enseñando un hombro o tres tallas pequeño, ni enseñar los senos por el escote...

—Lo tiene claro la pobre chica. ¿Le has dicho todo eso?

—Aún no.

—La vas a asustar, y ella contigo lleva buenas intenciones. No pretende conquistarte ni cazarte como marido. Si quisiera casarse, lo haría con algún terrateniente.

—Bueno. Yo soy terracapitán —dijo Juan.

XIV.

Consulta externa

Aquella mañana, Juan fue a su consulta, cuarto situado en un corto pasillo junto al patio principal. Media docena de enfermos le esperaban. Algunas viudas con problemas de tensión a que les pusiese el manguito en su brazo de piel colgona, algunos retirados prostáticos que se negaban a operarse, a que les mandase pastillas de extractos de plantas africanas. Cuando entraba en la consulta se agregó a los enfermos un anciano al que solo le faltaba el yelmo de Mambrino. Era un Don Quijote perfecto.

Cuando le tocó el turno al último, Juan recordó; era el general Martel, que le había presentado el director hacía algún tiempo. Ochenta y cuatro años. Alto, delgado, ligeramente encorvado, gafas con montura de pasta, empañadas. Sombrero sin forma definida en las huesudas manos. Cabello blanco, ralo, peinado a raya. Bufanda. Un abrigo gris colgando de sus hombros como de un perchero. Tal vez su elevada estatura es lo que hace que no dé esa sensación de «vieja ruina» y que conserve un aspecto en cierto modo imponente, incluso amenazante.

Antes de sentarse, lo que hizo muy tieso, como alguien que no hace concesiones ni a la gravedad, preguntó;

—¿Tiene usted unos minutos, doctor?

Juan se sentó frente a él, al otro lado de la mesa.

—Es vuecencia el último, mi general. Tenemos tiempo.

—Y abrió una rendija, sabiendo lo que le esperaba, el cajón de la mesa de modo que pudiera ver el reloj de muñeca que previamente se había quitado y metido en él.

«Lástima no haber tenido conectado un magnetófono», pensó.

Juan había decidido no interrumpirle. El anciano habló treinta minutos sin apenas interrupciones del médico, diciendo cada cinco minutos: «Y ya termino».

Juan dejaba pasar el tiempo mirando al cristal de la mesa reflejado en el cual veía los ojos opacos, enrojecidos, lacrimosos del anciano. Este, de cuando en cuando, los levantaba al techo si alguna palabra no acudía a su mente.

Fue divagando en un monólogo ligeramente disgregado aunque coherente, la mayor parte del tiempo, entre recuerdos del pasado, consideraciones filosóficas y quejas al destino.

Y no es que a los treinta minutos guardara espontáneamente silencio, sino que Juan se levantó y e hizo que se remangara la manga de un brazo para tomarle la tensión.

Las quejas contenidas en el monólogo podrían sintetizarse así:

«Yo únicamente busco un poco de paz. No es bueno el espejismo de la paz, que uno busca gran parte de la vida, paz que solo se encuentra al final de la misma, en la muerte. Tranquilidad que no se halla nunca, que no existe porque cada día trae su afán».

«Somos algo dinámico, no solo física, con órganos que continuamente están funcionando, sino también psíquicamente».

«Siempre estamos, en términos aproximados, cayéndonos hacia adelante, buscando dónde agarrarnos. ¿Tal vez algunos seres superiores, privilegiados, encuentren el sosiego en vida? Desde luego, yo no me encuentro entre esos seres elegidos que encuentran la paz ¿La inmovilidad? ¿No es tal vez simplemente la muerte lo que buscamos?»

«Yo quisiera morirme ya. Estoy aquí, día tras día, en mi rincón, esperando morirme. Porque yo no apruebo, no justifico, no defiendo en ningún caso el suicidio. Estoy esperando la muerte». «Mi tiempo es un tiempo de descuento; no se juega ningún partido en la cancha».

Todo ello dicho así, sin tristeza, como una simple afirmación. Juan no puede evitar pensar: «¿Y los demás no esperamos lo mismo, aunque inconscientemente?».

—Yo quiero que usted me trate dos cosas: Sí, lo de la tensión y el infierno de las mañanas.

—Esto del infierno de las mañanas —dijo Juan— es la primera vez que lo oigo.

—El anciano se despierta... Pero ¿somos ancianos en los sueños? ¿Tenemos edad? Desde luego que no —sigue el viejo general—. Uno se despierta y se encuentra en el fondo de un profundo pozo de angustia del que solo lentamente puede ir saliendo. Abres los ojos y ves a lo lejos una lucecita, el brocal del pozo. Poco a poco vas ascendiendo, hasta que te rodea la luz, entonces puedes levantarte y salir del pozo.

Y el anciano me va relatando, desgranando cada uno de sus actos matutinos.

—Me levanto, me lavo, me afeito, me visto. La angustia, el purgatorio pasa un poco. Bajo al bar de la esquina y allí me tomo un café. Compro el *ABC*. Luego subo a casa. Vivo con una hermana tres años menor que yo. Se levanta tarde. Hace lo que puede. Me pone un café con leche con galletas. Desayuno. Entonces voy ya encontrándome fuera del infierno de las mañanas.

Juan piensa: «Este viejo es como tantos otros que están en sus casas algo deteriorados mentalmente. Por sus marchas de militar africanista (El viejo en su perorata ha dicho: "A mí Franco me salvó dos veces, estando yo en Marruecos rodeado de cabileños"), por el entrenamiento de sus marchas cuando era oficial o jefe, mantiene en perfecto estado la vascularización de sus miembros inferiores y ello le permite, cuando sale del "infierno de las mañanas" (¿tal vez sería mejor llamarlo "el infierno del despertar"?) marchar a encontrar algún oyente para su discurso. El farmacéutico del hospital. El internista, el médico de guardia, el ATS, el vendedor del kiosco de los periódicos... O sabe Dios quién».

Y continúa:

—Y luego están los recuerdos. Recuerdos de personas que ya no están... Forman una muchedumbre, en comparación con las pocas que quedan...

»Y como soy militar y tengo una fuertemente arraigada idea del propio respeto, no puedo ahogar en el alcohol el infierno de las mañanas.

Y Juan le toma la tensión y le ayuda a ponerse el abrigo. El anciano guarda las recetas (unas vitaminas y su Orfidal) entre otros papeles, en la cartera. El médico le da su bastón con empuñadura de plata y su informe sombrero.

Se aleja por las viejas losas del patio del hospital y se vuelve dos veces a preguntarle cómo se toma las pastillas.

Juan vuelve al pasillo dispuesto a subir a la sala cuando se da cuenta que en el banco hay delante de la consulta hay dos mujeres. Reprimiendo un gesto de contrariedad les abre la puerta de la consulta; pasan las dos. Una de unos sesenta años erguida y vivaz, la otra algo más joven, delgada, pelo canoso y palidez de hoja de papel. Emanando la última, un nauseabundo olor a carne podrida.

El diálogo, una vez sentadas se desarrolla así:

—¿Quién es la enferma?

—Ella. —Señalando a la más joven.

—¿Qué le ocurre?

La más joven contesta:

—Por la noche me duele el brazo izquierdo. Sí. Solo me duele un poco. Tomando un Nolotil se me quita.

Entonces Juan piensa: «La típica neuralgia parestésica. Un dolor banal por espondilo artrosis cervical. Estas mujeres podían lavarse más para no oler así». Le toma el pulso. La pone en pie e intenta levantarle ambos brazos cogiéndola por las muñecas. No puede levantarle el brazo derecho.

—¿No dice que durante el día no le duele?

—Si, pero ahora me duele un poquito.

—Bueno. Vamos a ver. Descúbrase usted de cintura arriba. Y entonces...

Entonces mostró una masa tumefacta y sanguinolenta, llena de úlceras supurantes, malolientes, ocupando toda la cara anterior del hemitórax derecho, sazonada con polvos de talco. La mama había desaparecido.

La hermana mayor contempla aquello con horror.

Evidentemente un cáncer de mama en avanzado estado.

—¿Pero esto no lo ha visto ningún otro médico antes de ahora?

—Como no me dolía... He venido porque esta dice que huelo mal.

Juan llamó a sor Encarna, la hermana de cirugía, para que le pusiera un apósito. Mientras se lo ponía llamó a un aparte a la acompañante.

—¿Son familia?

—Somos hermanas.

—Mire, le voy a hacer a su hermana un ingreso urgente. Van a llevarla a su casa a recoger lo más imprescindible y de inmediato la van a dejar en el Hospital Militar de Sevilla. Usted puede acompañarla en la ambulancia.

Cuando salió de la consulta se encontró en la puerta a sor Josefina, que con las manos en las caderas le reprendió:

—¡Pero don Juan! Se ha dormido en la consulta, ¡tenemos que pasar visita!

En venganza, cuando subían las escaleras le preguntó:

—Sor Josefina, ¿de qué color tiene usted el pelo?

—¡Ay! ¿Para qué quiere saber eso? —dijo la monja ruborizándose.

—Es una apuesta con Guillermo y Paco. Yo digo que es usted pelirroja; él que es morena; Paco que es rubia.

La hermana, no sin coquetería, introdujo el dedo índice entre la trompeta y la frente y extrajo un mechón de cabello.

Era rojo como una llama.

—Usted ha ganado la apuesta. ¿Qué se jugaban?

—Vino y unas tapas —confesó Juan.

—Muy bonito, capitán —dijo risueña la hermana, corriendo escaleras arriba sujetándose la falda y mostrándole unas perfectas pantorrillas enfundadas en unas medias negras—. En el antedespacho tiene usted esperándole un mozo que traen

del Gobierno Militar dos soldados —dijo al llegar arriba y añadió—: capitán, como ya le dije, la Provincial me ha destinado
al Hospital de la Macarena, a Sevilla. Creo que me voy mañana.

—Pues... Lo siento. Es agradable trabajar con usted —afir-
ma Juan.

La hermana sintió que una angustiosa bola le subía por la
garganta. Sin más palabras, se dio la vuelta y se fue a la sala.

Cuando el capitán entró en el antedespacho, los dos muchachos de la Policía Militar con su casco blanco se pusieron
firmes y le saludaron. También le esperaba una chica joven, de
cara simpática con los labios pintados, larga melena negra brillante. Su atuendo era una camisa blanca, una rebeca roja, una
minifalda plisada y unos zapatos de tacón.

Juan buscó con la mirada al mozo. Uno de los policías cogiendo del brazo a la muchacha le gritó:

—¡Ponte en pie!

La muchacha protestó:

—¡Ay, animal! ¡Me haces daño!

El policía preguntó:

—El capitán de Estado Mayor del Gobierno pregunta que
qué se hace con este.

—Tendrá un nombre —dijo Juan.

—Manuel Yáñez Sobrino —recitó uno de los de la P. M.[15]

—No me llamo Manuel, me llamo Manoli —afirmó el
mozo.

El capitán, luego de observar un rato al espécimen dijo:

—Es un homosexual, travesti. —Luego de la perogrullada
añadió—: No parece un simulador. Hay que hacerle una propuesta de inutilidad e ingresarle para observación. Dejadle aquí,

15. Policía Militar.

se quedará ingresado. —Y anotó en un papel el número y la letra del cuadro de inutilidades—. Que el capitán de E.M. hable con un médico de la caja de reclutas para que le hagan una propuesta en este apartado. Ahora llevadle a secretaría a que le hagan el ingreso y luego que un sanitario lo traiga otra vez aquí.

Cuando volvió el sanitario con el mozo, ya habían pasado visita sor Josefina y el capitán. Este estaba leyendo en su mesa y sor Josefina estaba enrollando vendas.

—Siéntate, muchacho. ¿Desde cuándo vistes como una mujer?

—Soy una mujer, mi capitán.

—No es eso lo que dice tu carnet de identidad.

—Está equivocado —dijo.

El sanitario al que Juan había hecho quedarse en el despacho, dijo:

—Mi capitán, todo el mundo le conoce en Cádiz. Le llaman Manoli. A veces baila flamenco en los tablaos. Todo el mundo se ríe de él.

—Todo el mundo se ríe de mí de día, pero todo el mundo quiere que me acueste con él, de noche —se defendió Manoli.

—Dicen que gana mucho dinero —dijo el sanitario.

—Señor, señor —exclamó la monja—. ¿Y cómo...?

Juan preguntó:

¿Ya has ido a Tánger a operarte?

—Estoy ahorrando para ello. Sale muy caro —confesó el mozo.

—Sor. Salga un momento del despacho. Quiero que te quites la ropa, muchacho.

El muchacho se quitó la falda y las bragas. Juan constató que tenía un pene y unos testículos perfectamente normales, metidos hacia atrás entre los muslos.

—Ponte la ropa. Entre, sor. ¿Dónde ponemos a este?

—Hay un cuartito junto a la cocina que tiene una cama. Estos chicos, de pinches dan un resultado excelente. Les gusta guisar, limpiar, coser... Podríamos meterlo allí.

—Vale. Que se esté en la cocina, porque en la sala, cualquiera sabe lo que puede pasar. Dígalo a la superiora. El reglamento dice que lo debemos tener aquí unos días en observación, pero por mí ya está observado.

Manoli le lanzó una cálida mirada de agradecimiento con un pestañeo de sus ojos de Bambi.

Los días que siguieron, a Juan le costaba trabajo que no se le notara el cachondeo cada vez que un conocido, o incluso desconocido le preguntaba:

—Doctor, creo que tiene en la sala en observación un mozo llamado Manuel Yáñez, ¿lo va a tener ingresado mucho tiempo?

Y pasaron más días sin que María diera señales de vida.

Llamó por teléfono a Carmen, a una hora en que sabía que María no estaba en la casa:

—¿Qué pasa con María? Ha pasado más de una semana y no me llama.

—María es muy difícil. Si la llamas mucho, dirá que la agobias. Si no la llamas, concluye que no te interesa. Ella, a su vez nunca, llama a nadie.

—Pero la vez que nos vimos dijo que ella me llamaría —se quejó Juan.

—Pues te engañó. Ella nunca llama. Telefonéala sobre las ocho, estará aquí.

Estuvo en duda toda la tarde sobre si llamarla o no. Era un hombre soberbio. Finalmente, la imagen de las largas piernas de María le animó.

—Hola, María. Soy Juan. Dijiste la última vez que salimos que me llamarías.

—¿Juan el médico?... No me he acordado —contestó con una voz cálida y soñolienta—. ¿Qué quieres?

Juan estuvo fuertemente tentado a mandarla a hacer puñetas, pero se aguantó.

—¿El sábado por la tarde a las ocho te parece bien que quedemos?

María luego de un silencio que Juan interpretó como un bostezo dijo:

—Tengo que ir a Cádiz, así que no tendrás que recogerme. Quedamos en el Hostal Imar. Está en el Paseo Marítimo. Ya lo encontrarás. —Y colgó.

XV

El llanto de María

María llegó veinte minutos tarde a la cita. Juan había decidido que no la esperaba más de media hora. Fiel a su estilo, la joven llevaba una semitransparente blusa a través de la cual se intuía la ausencia de sujetador y una minifalda negra que le llegaba a medio muslo. Disimulaba algo su desnudez con un largo chal negro con dibujos plateados. Completaban su aspecto un cinturón ancho con una gran hebilla, unas sandalias de tiras de cuero negras y un bolsito a juego.

Para entonces Juan se había tomado un Ballantine's con hielo.

A Juan le pareció que tenía los ojos enrojecidos y unas sospechosas señales en el cuello, pero no comentó nada al respecto.

—Si te parece, vamos a cenar a la venta El Chato —propuso.

El camarero, al que se le salían los ojos de las órbitas no acertaba a darle el cambio.

—¿Cómo te vistes así para salir con un amigo? Vas tan provocativa que junto a ti anda uno intranquilo —se lamentó el médico.

—Voy así porque puedo —contestó María irritada.

—Si en lugar de quedar en el Imar, te recojo en tu casa, te hago subir a cambiarte —le increpó Juan, a quien el whisky hacía hablar. María no dijo nada, pero Juan se sorprendió, parecía tener los ojos a punto de llorar.

La venta estaba llena de gente. Afortunadamente había reservado una mesa. María entró como si lo hiciera al escenario de un teatro: los ojos de los más próximos se volvieron a ella. Se sentó, con lo cual la minifalda trepó varios centímetros muslos arriba. Menos mal que llevaba unos pantis oscuros. Junto a ellos había dos mesas unidas, ocupadas por algo menos de una docena de personas de media edad, con aspecto de ejecutivos y sus señoras, que les contemplaron con aire de cachondeo.

Un camarero se les acercó con la carta.

—No me hace falta —dijo María—. Quiero langostinos y fino.

Juan inclinó la cabeza asintiendo. Pensó que María no estaba normal: sus ojos brillaban, le pareció que sus pupilas estaban dilatadas. Llevaba el pelo cogido con un coletero. Entonces recordó por dónde había entrado en la cafetería del Imar. No venía de la calle, sino de las habitaciones. Y las rojeces del cuello eran, evidentemente, huella de unos dedos. María preguntó:

—¿Cómo llevas lo de Emilia?

—Te responderé con una frase de un familiar mío: «El que pierde una buena mujer no sabe lo que gana» —contestó Juan.

—¿Y la que pierde un mal hombre? ¿Gana o pierde? —preguntó María.

—Según. Si es una maestra con plaza en el estado, pierde. Si es una muchacha de familia, sin posibilidades económicas, gana.

Mantenían una conversación en esos superficiales terrenos. María no quitaba los ojos de la ruidosa mesa de al lado, donde el fino hacía su efecto. Uno de los comensales, un hombre de media edad, gordito, con aspecto de apoderado de banca se acercó a la mesa y dijo:

—¿Por qué no se unen ustedes dos a nuestra mesa? Creo que la señorita envidia cómo nos divertimos. Usted es el médico del Hospital Militar, ¿verdad? —dijo dirigiéndose a Juan, pero devorando con los ojos a María.

Juan, cuya irritación iba en aumento, dijo:

—Veo que en esa mesa son ustedes impares, les falta una mujer. Siéntate con ellos María, así no deberás tener puesta la antena a sus conversaciones. A mí me duele la cabeza, así que me voy al hospital.

Cogió el talón de la cuenta, sacó el importe de la cartera, dejó ambos en las manos del camarero, que al verle ponerse en pie se había acercado y se fue al aparcamiento dejando boquiabiertos al banquero y a María.

Antes de que pusiera en marcha el 1430, apareció María en el aparcamiento.

—Juan, no me hagas esto. Llévame a casa.

Juan le abrió la portezuela sin salir del coche. María se acurrucó en el asiento. Juan arrancó, dio la vuelta en la Ardila y tomó la desviación al Puente Carranza. Se dio cuenta de que María estaba llorando. Cuando llegaron a la casa, suplicó:

—Haz el favor, Juan. Acompáñame arriba un momento.

Juan dudó. Luego pensó: «¿Qué podía perder?». Y la acompañó.

Arriba estaba Carmen, que al ver a María increpó a Juan:

—¡Ha estado llorando! ¿Qué le has hecho?

María, soltando sobre una silla el chal, se desabrochó la blusa.

No llevaba sujetador. Sus perfectos senos estaban acardenalados. En el cuello, las caderas y sobre el estómago se acumulaban otros cardenales.

Carmen y Juan preguntaron al unísono:

—¿Quién te ha hecho eso?

—Fran. Mi exnovio. Quedé con él para que me devolviera unas fotografías. Me dijo que las tenía en su habitación, que subiera para dármelas. Me violó.

Ambos se quedaron en silencio. Carmen salió y volvió con una bata y se la dio a María.

—Anda, quítate eso a lo que tú llamas falda.

Juan, recuperándose de la visión, dijo:

—Tienes un admirable chasis, pero no tienes cerebro. ¿Qué pasó con las fotografías?

—Me las tiró a la cara. Cuando las recogí me echó del cuarto con un empellón. Las rompí y tiré a un váter antes de reunirme contigo.

Recordando aquello y los hechos que lo habían antecedido las lágrimas volvieron a rodar por la cara de María. Juan se encontraba en una situación violenta. Al propio tiempo le sobrecogía ver un rostro tan bello, llorando.

Carmen la abrazó y la acunó como si fuera una niña.

—No llores. Lo pasado, pasado está.

—Tienes que orientar tu vida de otra manera —dijo Juan—. No puedes andar con individuos que no te respeten y tú tienes que hacerte respetar, por ejemplo vistiendo de otra forma. No puedes ir enseñándole las bragas a todo el mundo en cuanto te agachas. Si vistes como una prostituta, todo el mundo pensará que lo eres.

El llanto de María arreció y con un movimiento brusco se separó de Carmen.

—Aunque te duela, Juan tiene razón —asintió Carmen.

—Con lo bella que eres, vistiendo como vistes, tu acompañante va vendido —afirmó Juan—. Además provocas el deseo y, si no lo satisfaces, la violencia. Tienes una profesión y un empleo, ¿qué necesidad tienes de exhibirte?

—Os prometo que voy a cambiar —sollozó María—. Os lo prometo ¿Seguirás siendo amigo mío, Juan?

—Tú eres de las mujeres capaces de hacer perder el sentido a cualquiera, pero lo intentaré. Tómate un ibuprofeno y acuéstate. Debes estar molida. Mañana te llamo.

—Sí. Me duele todo el cuerpo. —Y fue a ducharse.

Los días siguientes María estuvo considerando su «deriva promiscua» puesto que el quinqui causante de sus cardenales no era el único varón que últimamente había disfrutado de su bien formado cuerpo y concluyó que la conducía a un precipicio. Le era difícil saber si aquella situación tenía marcha atrás. Por fortuna para ella no había entrado en el mundo de la droga, si exceptuamos algún porro que otro, pero ella misma se daba cuenta de que andaba desorientada intentando obtener una especie de beneplácito de todos. Las chicas bellas solían andar por el mundo con cara de cabreo. Ella no.

Carmen, que quería a la muchacha, llamó el fin de semana a Juan:

—Llámala. Necesita nuestra ayuda.

—Mira, Carmen, no tengo ganas de ir por la calle enfrentándome con la mirada a todos los que la miran. Ni tengo ganas que cuando entro con ella en una cafetería me miren pensando si me la tiro o no y en cuánto me cobrará.

—Juan, está confusa. Ha dejado de ponerse trajes provocativos. Ahora no les enseña las bragas a sus alumnos; va con vaqueros y una guerrera.

—O sea, que va de Che Guevara, ¿no?

—Juan, es un favor que te pido; llámala.

—Corro el riesgo de enamorarme de ella, es una mujer peligrosa, pero está bien, la llamaré.

Se citaron el sábado.

Juan quedó en esperarla en una cafetería de la Ribera del Marisco.

Tuvo que reconocer que iba muy discreta: vaqueros, un jersey gris de cuello vuelto y unos mocasines.

Al ver a Juan se le alegraron los ojos.

—Creí que no volvería a verte más —dijo la muchacha.

—Vestida así estás preciosa —alabó Juan—. Creo que me estoy enamorando de ti. ¿A dónde quieres que vayamos?

—A donde tú me lleves. A un sitio donde no hayas estado con Emilia —dijo María, que no podía evitar los celos.

—Bueno, vamos a comer al Parador de Arcos y luego te llevaré a un lugar en el que no he estado con ella.

Comieron en el comedor del parador. Después, sentados en la terraza contemplaron el soberbio paisaje que desde allí se domina: dos sinuosas carreteras, una al pie de la roca que sostiene Arcos, otra, próxima al horizonte, entre retazos de tierra, unos sembrados de hortalizas y otros surcados por hileras de árboles. Algunos grupos de blancas casitas ocupaban los nudos de los caminos, que formaban una red que lo abarcaba todo.

—Te voy a llevar a un sitio muy especial, donde no he estado con Emilia.

Sacaron el coche con dificultad de la explanada abarrotada de autos ante la Iglesia de Santa María, salieron de Arcos, tomaron una carretera que bordeaba la peña por el suroeste y atravesaron el río Guadalete por un puente metálico. Juan detuvo el coche, cogió del portamaletas una vieja manta y anduvieron hasta la orilla del río.

Atravesaron un bosquecillo ralo de acebuches y chaparros y llegaron a una pradera salpicada de masas de lentiscos y jara. Extendió la manta en una zona despejada y arrastrando de la mano a María la hizo sentarse.

—Escucha —le dijo—. Oye el silencio.

—No oigo nada más que el croar de las ranas —afirmó María.

—Fíjate más.

El agua parecía inmóvil, cubierta por una lámina verdosa de lentejas acuáticas. De cuando en cuando, una trucha cazaba un insecto al vuelo haciendo un ruido de salpicadura al caer. A lo lejos se oía el runruneo de un tractor. Aguzando el oído también se apreciaba el lejano zumbido del tráfico, mezclado con el de un pesado insecto que cruzaba rasante sobre ellos.

María se tendió sobre la manta, con las manos bajo la nuca.

Juan se inclinó sobre María y en una oreja, blanca y traslúcida como algunas conchas, le dio un beso, que a María, entre los sutiles sonidos que estaba escuchando le sonó como un cañonazo. Se volvió hacia Juan sonriendo y este le dio un largo beso.

Cuando dejó de jadear, preguntó la muchacha:

—¿Por qué no podemos ser novios tú y yo?

—Extraña pregunta. ¿Quién dice que no podemos? En realidad, te me has adelantado y te has declarado.

María enrojeció.

—Necesito que alguien se ocupe de mí y me obligue a ir por el buen camino. No va a ser fácil, te aviso.

—Mary, bonita, te quiero. Quiero ser tu novio. —La abrazó y le acarició la espalda.

—He sido una estúpida. He dejado que todos se aprovechen de mí.

—Procuraré olvidarlo, pero me costará —dijo Juan.

El día siguiente, cuando estaba en el tribunal, que se celebraba los días cinco, quince y veinticinco de cada mes, le llamaron por teléfono. Era María, que con voz alterada dijo:

—Siento molestarte. Me ha llamado Francisco Romero. Es el hombre al que vi en el Imar, antes de quedar contigo. Le he dicho que no quería verle, pero dice que de todos modos vendrá esta tarde. Tengo miedo.

—Cuando termine el tribunal voy a tu casa —prometió Juan.

Como en el Hospital Militar no había médicos militares suficientes para constituir un tribunal de cinco miembros, habitualmente se nombraba a uno de los médicos destinados en la plaza, en el Batallón de Ingenieros o en el Regimiento de Artillería.

La mayoría de los que pasaban tribunal eran reclutas o mozos cuya observación había hecho Juan. También pasaban guardias civiles alegantes de incapacidad para el servicio, o inválidos que deseaban subir la puntuación de su incapacidad. Los del pie plano valgo bien caracterizado eran mayoría.

Cuando terminó de firmar las actas, subió a la sala de medicina. Tenía una cartera de cuero negra que habitualmente le servía para llevar papeles, que tenía un buen fuelle. La llevó al cuarto donde dormía y sacó de un departamento secreto que tenía el armario, un revólver y una Star del nueve corto que introdujo en la cartera. Luego se fue al puerto en su 1430.

Se encontró a una asustada María que se abrazó a él.

—Lo siento, lo siento —dijo—, pero tengo miedo. Vas a pensar que soy un problema.

—Eres un problema —dijo Juan—, pero mi problema ahora es que no he comido. Vamos a comer a un bar de abajo.

—Te hago un sándwich —dijo Carmen—. Un sándwich, una cerveza y unas rajas de melón, ¿te parecen bien?

A María le temblaban las manos. Juan abrió su cartera negra y sacó un tubo de pastillas. Cogió una y dijo:

—Tómate esto.

María se tomó la pastilla y preguntó:

—¿Qué es eso que me he tomado?

—Un Orfidal. Ahora échate. Ya te llamaremos cuando venga tu pretendiente.

María obedeció y se fue a su cuarto.

—¡Qué obediente se ha vuelto! —comentó Carmen.

—Una mujer así, o sea, una mujer de bandera siempre será fuente de problemas. Todo depende de si uno está dispuesto a afrontarlos.

—Tu parece que sí estás dispuesto —dijo Carmen.

—En parte me da pena. En parte la quiero. En parte la deseo de un modo casi... doloroso, pero sé que si me acuesto con ella la convertiré en mi amante, lo que no me parece justo para ella.

—Yo creo que la entiendo bastante bien; se siente insegura y quiere agradar a todo el mundo.

Serían las seis de la tarde cuando sonó el timbre.

—Yo abro, despierta a María —dijo Juan.

El visitante era un individuo muy moreno, vestido con un traje Emidio Tucci, que incluía un chaleco, cruzado por la cadena de oro de un reloj. Podía tener unos veinticinco años. Se quedó un poco perplejo al ver a Juan.

—María viene ahora —le aclaró Carmen.

El visitante le tendió la mano, Juan se la dejó en el aire. Con desparpajo dijo:

—Soy Fran Romero, el novio de Mary.

—Perdona, muchacho, soy Juan Salas, el novio actual de Mary. Tú eres el ex. Siéntate, si haces el favor.

Entraron Mary y Carmen en la sala. Mary se sentó en el sofá junto a Juan. Se agarró con las dos manos a un brazo de su novio y colocó las piernas sobre el asiento.

Por el acento y el aspecto Juan clasificó al visitante como un quinqui al que las cosas iban bien.

—Que ella elija —dijo el quinqui—. Yo le ofrezco dinero, joyas, droga, en fin, todo lo que pueda desear. Vente conmigo, Mary.

Mary dijo simplemente:

—No. Con tu aspecto de no haber roto un plato en tu vida, eres un maltratador.

—Bueno —concluyó Juan—. Terminado el motivo de la reunión, se levanta la sesión.

—No tan pronto —rebatió el quinqui—. Mary se viene conmigo. Es mi novia.

—No, ya no —repitió Juan—. Lárguese.

—No, si tendré que pinchar a alguien —amenazó Fran sacando de debajo del chaleco una navaja de resorte y la puso encima de la mesa.

Parsimoniosamente, Juan abrió la cartera de mano, empuñó la pistola y puso el revólver encima de la mesa.

El quinqui palideció intensamente.

—¡Coño! ¡El payo tiene dos pipas! ¿Para qué quiere dos? En las películas del Oeste siempre dicen que un buen pistolero tiene suficiente con una.

—Los payos, cuando son oficiales del Ejército, tienen al menos una pipa, la de reglamento —aclaró Juan, que le seguía encañonando—. Esta —dijo moviendo ligeramente la Star— para matarte de un tiro y esta otra es para ponerla en tu mano cuando estés muerto, antes de que llegue la Policía.

Le quitó al randa la navaja de resorte y la metió en la cartera negra.

—Muchacho, este revólver es como un marroquí de los que vienen en patera; no tiene papeles. Los policías, eso no sé por qué —dijo dirigiéndose a María— la llaman «el arma democrática». Un amigo, inspector de Policía que tengo en Cádiz, me dijo que si me veía obligado a matar a alguien tuviera a mano una «democrática» para que la cosa pasara como defensa propia. —Se levantó del sofá y colocando el cañón del revólver en la frente al randa por el simple placer de verle temblar, le dijo:

—Haz el favor de ponerte de rodillas. —Cuando obedeció, le sacó la cartera del bolsillo de la americana y de ella el DNI, que se guardó en un bolsillo—. Hala, ponte de pie, que nos vamos. Te acompañaré hasta el portal. Si quieres recuperar tu DNI, vete dentro de unos días a la Comisaría de Policía de Cádiz, que lo entregaré allí.

Ya solos en el portal, Juan con el revólver aún entre las costillas del quinqui dijo:

—No sé si pegarte un tiro. Anda, echa a correr antes de que me arrepienta. Hoy es tu día de suerte. Voy a llevar el revólver en el cinturón todo el tiempo. Te aseguro que si alguno de tus amigos intenta algo, le pegaré un tiro.

Cuando subió, María continuaba acurrucada en el sofá.

—¿Cómo has podido caer con un tío así? —preguntó irritado Juan.

Carmen contestó:

—Yo lo entiendo. El tío es un guaperas, viste bien, maneja dinero, conduce un deportivo, tiene labia. Visto ahora, sudoroso y muerto de miedo, lo que hace que olvide su pose de niño rico no lo entiendes, pero en una sala de fiestas, medio a oscuras y tú luego de fumarte el porro que te ha dado, con unos cubatas dentro, te da el pego.

—Vete a dormir, María —dijo Juan dándole un beso en la frente—. Mañana a las seis de la tarde vendré por ti.

—María —comentó Carmen cuando Juan había salido—, parece que tú necesitas alguien que te domine, que sustituya a tu padre. Si quien te domina es bueno, eres buena, si es malo, eres mala.

—Juan parece bueno. Tiene un temperamento fuerte. Me da seguridad. Me voy a echar un rato —dijo María.

—Eso. Obedece —aconsejó Carmen.

XVI

Samira

A quien más se parecía José Granados era a Ramsés II. Algo más de carne y algunos menos años; tendría unos treinta. Nariz ganchuda y ojos negros como el papel carbón. Seco y derecho. Fuerte. Era un gaditano, cabo de la Legión, en aquel momento destinado en el Destacamento García Aldave de Ceuta.

Iba y venía frecuentemente a Cádiz a ver a su madre, una viuda a la cual enviaba cada mes el dinero suficiente para completar su pensión de antigua cigarrera de la Fábrica de Tabacos, donde había trabajado más de treinta años.

Cuando murió su marido, pescador, en un temporal de levante, dejándola viuda con veinte años y un niño de tres, la administración, menos complicada que la actual, la enchufó en la Fábrica de Tabacos, una más de las mil mujeres con bata blanca y cofia que trabajaban en el salón de la fábrica, liando pitillos primero a mano y luego, cuando la tabacalera se mecanizó, con máquinas.

En el tiempo en que la fábrica se trasladó del bonito edificio neo mudéjar de ladrillo visto y tejado de cerámica vidriada de la calle Plocia, a la zona industrial, ella ya se había jubilado.

Sea como fuere, en una de sus visitas a su madre, José se encontró con que su progenitora había metido en su casa, como muchacha para todo, a una marroquí de 16 años de ojos oscuros, piel morena y labios de expresión risueña, a los que con frecuencia se asomaba una lengüecita inquieta. Vestía un *niqab* anaranjado adornado con discos de metal relucientes y un caftán que cubría el cuerpo bien desarrollado y formado de una mujer, pese a su cara, un poco infantil.

—Hijo mío —dijo la madre de José—, ya estoy muy mayor. He tenido que contratar a esta muchacha para que me ayude. Gracias al dinero que me mandas puedo permitírmelo.

La modesta casa estaba impoluta. La muchacha cumplía.

Las visitas de José a su madre aumentaron en frecuencia. La chica y su lengüecita ponían a José a cien.

Un día en que José se encontraba en el cuartel, sin servicio, se convenció de que era necesario que fuese a ver a su madre. Tenía una reluciente BMW con la cual tardaba poco en plantarse en la tacita de plata, pese a que primero tenía que tomar el transbordador de la Transmediterránea a Algeciras.

Cuando entró en casa de su madre, Samira lo contempló sorprendida.

—Su madre ha ido a la iglesia. Tardará una hora en volver.

—Entonces nos sobra tiempo —dijo José estrechándola en sus brazos y empujándola contra la pared.

Por lo menos les sobraron tres cuartos de hora. No era la primera vez que Samira conocía varón. Es más, resultaba bastante hábil. Cuando salió del baño después de ducharse, en su rostro no había huellas de lo pasado. Tal vez una sutil expresión de triunfo.

Para acallar sus remordimientos por su brusquedad inicial, José sacó de la cartera un billete de cien pesetas y se lo dio a la muchacha.

Esta no se anduvo con remilgos; lo dobló varias veces y lo introdujo en un bolsillo del caftán.

La palabra «samira» designa unos pastelitos morunos parecidos a los pestiños. El nombre significa «La que cuenta historias en la noche». Según ello, Sherezade debería haberse llamado Samira. A José, aquel pestiño le podía, aunque no le contara historias por la noche.

Las visitas se convirtieron en una costumbre, más cuando José ascendió a sargento.

Las relaciones sexuales y dejar de comer rancho para hacer sus comidas en el comedor de suboficiales, mejoraron su aspecto.

Ahora se asemejaba a la estatua de Ramsés II del templo de Luxor, más que a su momia.

Pero nada es para siempre.

Un viernes, con tres días de permiso por delante, sobre su BMW, con un bonito collar de Swarovski comprado en la joyería La Esmeralda de regalo para Samira, llegó a casa de su madre.

Se encontró a una andaluza de media edad que le preguntó:

—Usted debe ser José, el hijo, ¿no?

—Sí, ¿y Samira?

—Ya no está de criada con su madre. Se ha colocado de limpiadora en el Hospital Militar.

Le pareció que el mundo se hundía a su alrededor con gran estrépito.

Sin esperar que volviera su madre, montó en la moto y se dirigió al Hospital Militar.

Por el camino iba pensando: «¿Cuántos días hacía que no veía a Samira? —Había acudido a unas maniobras...—. ¿Tal vez diez? ¿Dos semanas?».

Dejó la moto en el patio exterior y entró en el hospital. Antonio, el portero, que lo conocía desde que era un niño y ambos vivían en el mismo barrio, le saludó con la mano y le dijo:

—Ya eres sargento, ¿eh? ¡Qué carrera llevas!

Entró en el patio de la pérgola y se sentó en un banco, fuera de las miradas de Antonio.

Enrique, el fornido practicante de cirugía, que salía de la dirección, le saludó:

—¿Te puedo solucionar algo?

—No. Vengo a ver a alguien.

Enrique sonrió.

—Me figuro a quién.

Veinte minutos más tarde apareció Samira, con su *niqab* naranja, una bata azul, zuecos quirúrgicos en lugar de sus babuchas amarillas, un cubo y una fregona en las manos.

Un sanitario que estaba en el patio haciendo nada, la piropeó. Cuando la morita vio a José, dejó sus útiles de limpieza y se acercó a él.

—Sabía que me buscarías —dijo Samira—. Me ofrecieron un trabajo mejor y lo acepté. Aquí estoy contenta.

—¿Quién te encontró el trabajo?

—Uno de la oficina que vive cerca de la casa en que paro ahora, en el barrio de La Viña.

—¿Ahora tienes casa en Cádiz? —preguntó José sorprendido.

—Me han dejado un piso por unas semanas. Luego ya veré.

En aquel momento entró en el patio una monja.

Samira cogió su cubo y su fregona y desapareció.

José espero pacientemente a que Samira fregase unos despachos vacíos. Se entretuvo contemplando los azulejos talaveranos, de los cuales tenía un panel detrás, dado que estaba sentado en un banco empotrado en la pared del patio. Representaban escenas de caza en azul, con sus perros y caballos saltarines.

Cuándo por fin la muchacha volvió a aparecer, le preguntó:

—¿A qué hora terminas?

—A las seis.

—Te recogeré y te llevaré a tu casa en la moto. Así sabré dónde vives.

Samira sonrió, enseñándole la lengua con picardía.

—Está bien.

José dejó la moto en el hospital, luego de rogar a Antonio que le echase un vistazo, y se fue andando hasta la Caleta, se acodó en la barandilla y estuvo contemplando el balanceo de las barcas allí fondeadas.

Desde luego, una cosa tenía clara; no estaba dispuesto a perder a la muchacha. Su piel morena un poco basta, sus ojos cuyo iris marrón oscuro tenía a veces reflejos metálicos dorados, sus labios sensuales, su escultural cuerpo de diana cazadora, sus manos teñidas con hena... «De ningún modo», se dijo, cerrando los puños.

Volvió a la Plaza Fragela y se metió en un bar a comer, junto a aquel en que los escribientes del hospital tomaban finos con Juan.

Cuando terminó, pidió un café, un coñac y el *Diario de Cádiz* y se dispuso a esperar.

Un poco antes de las seis dejó el bar, saludó a Antonio, le dio las gracias y se apoyó en la BMW. Estaba quitándole una manchita en el espejeante tubo de escape, cuando Samira le puso una mano en un hombro.

—¿Nos vamos? —preguntó.

Llevaba puestos unos vaqueros que se adaptaban a unas perfectas nalgas, una camisa blanca y un jersey de punto grueso, sin mangas, abrochado por delante. Y el *niqab* naranja.

Cuando abandonaron el patio del hospital, Antonio, el portero, filosóficamente dijo al sanitario que había piropeado a Samira:

—Ya te dije que un cuerpo como ese debía tener dueño.

El sanitario respondió:

—Hay que joderse con el legionario. Claro, sería suicida plantearle batalla a un sargento de la Legión.

—No te lo aconsejaría —remató Antonio.

Galoparon en la moto por el Barrio de la Viña, hasta que Samira dijo ante una casapuerta blanqueada:

—Para, es aquí. En el segundo piso.

José estabilizó la moto. A un mocoso que les contemplaba preguntó:

—¿Quieres ganarte dos duros?

El muchacho asintió. José le puso en la mano un duro y le dijo;

—Cuando vuelva te daré otro. Si alguien toca la moto grita «¡Pepe!» y bajaré. A ver, grita.

La inocente criatura dio un estentóreo berrido.

—Eso es. Así.

Cuando terminaron a satisfacción de ambos lo que habían ido a hacer, José comentó:

—Está bien esta casa.

Dos cuartos, una cocina y un servicio. Docenas de veces blanqueados. Una sola ventana que daba a una pared de la casa de enfrente, al otro lado de la estrecha calleja.

—Pero no la podré pagar con el sueldo del hospital —aclaró Samira—. Allí me pagan ochocientas pesetas. El alquiler de esta casita son cuatrocientas. Con lo que me queda no puedo vivir. Una amiga que se ha vuelto a Marruecos me ha dejado meterme aquí porque tiene pagado hasta fin de mes.

—¿Y si yo te pagara el alquiler? —preguntó José.

Los ojos de Samira se iluminaron.

—Entonces... Entonces... Si podría, ¿lo harías?

—Lo haría. A cambio de que me seas fiel. ¿Entiendes lo que quiero decir?

—Sí. Que sea como tu mujer. Que no me acueste con otros, solo contigo.

—Justo. Cuando pueda vendré a verte. —Sacó la cartera y de ella quinientas pesetas y una tarjeta.

—Ahí está mi número de teléfono. Llama si necesitas algo. Al que se ponga dile que avise a José Granados, el sargento de la Cuarta.

—José, el sargento. Entiendo. Sí.

La abrazó y la besó.

—Me tengo que ir.

Le dio el otro duro al mocoso de abajo, que dijo:

—No dejé a nadie que se acercara.

XVII

Urticaria

El sargento había hecho el favor de intercambiar un servicio en fecha anterior, y tenía el día libre. Se levantó temprano. Su temperamento nervioso le impedía quedarse en la cama contemplando las manchas de humedad en el techo de su habitación y oír música mora en su radio. En el bar del regimiento daban un café con leche que sorprendería tomar en alguna cafetería de postín de la península.

Estuvo andando, indeciso, aunque en el fondo de su mente andaba Samira hurgando. Se encontró bajando entre los pinos del Sanchal, hasta la playa de San Amaro y el espigón de oriente del Puerto Alfau contemplando la próxima costa de la provincia de Cádiz. Apenas había pensado: «¿Por qué no ?» cuando en un acto cortocircuito estaba sacando el billete para Algeciras en la Transmediterránea.

Cuando entró en casa de Samira dos horas más tarde, esta le miró boquiabierta, parada en la entrada de su casa con una espumadera en la mano.

—¿Te dan permiso y no me avisas?

—Tu magia me ha traído aquí. No pensaba venir, pero un aire desencadenado me ha arrancado del puerto, donde yo contemplaba estas costas y me ha dejado caer aquí —dijo abrazándola.

—Un viento desencadenado, un barco y una moto que tendrás abajo, ¿no?

Rio Samira al soltarse.

—Deja ese guisote magrebí y vamos a comer por ahí.

El Veedor era una pequeña y antigua taberna cercana, en la esquina entre la calle del mismo nombre y Vea Murguía. En aquel momento no había demasiada gente.

—Aquí yo no pudo pedir más que bacalao, porque creo que todos los demás platos son derivados del jalufo.

—No todos, Fátima, pero el guiso de bacalao es una especialidad de la casa —dijo el camarero.

—Se llama Samira, no Fátima. Vale, ponnos dos platos, vino blanco para mí y

—Una botella de agua con gas.

—Quería hablarte de una vecina —comentó Samira—. Es una muchacha de 14 años que tiene una enfermedad en la cual le aparecen por la piel manchas rojas que le escuecen y le pican. Le duran unos días y luego se le quitan sin dejar ninguna mancha. Luego le vuelven a salir

—¿Y qué quieres que yo haga?

—Tú conoces al teniente practicante de Cirugía del hospital. Puede ser que si tú le hablas, consigamos que el médico la vea. Sé que es muy buen médico.

—Pero no es dermatólogo.

—No todo lo que sale en la piel se debe a la piel.

—Eres una bruja. Una mujer sabia, Samira. Debieras ir de negro.

Luego se comieron un *ragout* de ternera y de postre pestiños, que como todos los postres muy dulces eran la perdición de Samira.

—Ahora tengo que ir al hospital o la monja me gruñirá. Así hablas con el teniente.

Y como José torciera el gesto añadió:

—O hablas con el teniente, o de lo que has venido a buscar nada de nada.

—A esto sí que se le puede llamar juego sucio, ¿eh? —se lamentó el sargento.

El teniente Sandoval estaba en una salita quitando una escayola de la pierna izquierda de una viejecita, que se había roto el cuello del fémur. La anciana daba un chillido cada vez que el practicante le daba un bocado a la escayola con la cizalla.

—Algo quieres de mí, ¿o es una visita de cortesía?

—Yo no quiero nada. Es Samira la que quiere pedirte algo.

—¿Y Samira no tiene confianza para pedírmelo directamente ella?

Samira enrojeció.

—Quería , quería que don Juan viera a una vecina mía.

—¿Y por qué no se apunta para la consulta como todo el mundo? —Luego, cayendo en el caso, añadió—: Claro, es una mujer marroquí, ¿verdad? ¿Qué le pasa?

—Le aparecen manchas rojas por el cuerpo que, ella dice, le queman como el fuego.

—Pero eso parece asunto de dermatólogo —dijo Enrique.

—Ya la llevaron a un dermatólogo a Sevilla. El especialista dijo que era una forma de alergia y le mandó unas pastillas, que aparte de darle mucha hambre no le sirvieron para nada. Luego fue a otro que le llenó la espalda de trocitos de esparadrapo. Aseguró que daba positivo a tantas cosas que le iba a mandar una pastilla para la alergia, pero se dormía al tomarla y le siguieron saliendo las ronchas.

—Bueno. Hablaré con el capitán. Con lo que le gusta ver cosas raras no pondrá ninguna pega.

Conseguido su objetivo, Samira afirmó:

—Me voy a trabajar. —Y con una sonrisa dijo a José—. Luego te veo, cuando acabe.

Enrique sonrió al ver la cara de José.

—No me digas que le vas a cobrar el enchufe.

—Estoy perdido por sus huesos. Terminaré casándome con ella.

Jasmín era una muchacha de doce años delgada, morena, con los ojos negros y el cabello tan negro como rizado. Comenzaban a despuntarle las mamas, lo que para una marroquí era un poco tardío. Vestía a la europea, sin ningún vestigio magrebí. Sus padres llevaban mucho tiempo en la península. Jasmín tenía un hermano tres años mayor que ella, igual de moreno, delgado como un galgo y de ojos maliciosos.

El puesto de los padres de la muchacha era uno de los de frutas y verduras del mercado de abastos, un edificio abierto, junto a Correos y a la Plaza de las Flores. Muchas de las verduras y frutas que vendían las importaban de Marruecos, de la región del Río Lukus. No les iba mal.

Jasmín, cuando no tenía colegio, les ayudaba en la tienda. Los padres recibieron con alegría la noticia de que «el médico del Hospital Militar iba a verla». Juan se había creado buena fama en Cádiz.

Hassan era el segundo hijo de un propietario de fincas en el Lukus que vivía en Larache (o el Arrach). El hijo mayor actuaba de importador. Hassan era una especie de ayudante del primogénito.

De la inteligencia de Hassan no se fiaban mucho ni su padre ni su hermano. Era gordito y algo salido.

Cuando los padres de Jasmín compraron su tienda en el mercado de abastos, el padre de Hassan les prestó con intereses muy bajos, el dinero que les faltaba con la condición de que se comprometieran a que Jasmín, cuando llegara a una edad razonable se casara con Hassan. Los padres del gordito pensaban que así su faltito hijo estaría cuidado y los padres de Jasmín, que el muchacho heredaría la mitad de la fortuna del terrateniente.

Habían establecido el compromiso dos años antes, no ante un funcionario estatal, un *adoul*, sino ante un *cheij* y dos testigos. Un *cheij* viene a ser una autoridad de ámbito familiar.

De cuando en cuando, Hassan visitaba a Jasmín, lo que obligaba a esta a maniobrar continuamente huyendo de sus manos, pues el muchacho (de edad mental, pero tenía 35 años) era más bien pegajoso, sobón.

La situación de Jasmín había llegado a ser insostenible ante los requerimientos de Hassan, que aunque era tonto, no lo era tanto. Y entonces comenzó la muchacha a presentar los síntomas de su enfermedad, que cursaba por brotes y que le ponía la cara, a veces también el cuello y los brazos, como un campo de amapolas. La cara enrojecía y se le hinchaba a parches.

Con ello Hassan la visitaba con menos frecuencia y no osaba acercarse por si aquello era contagioso, aunque nadie en el entorno de Jasmín presentara aquella especie de erisipela en brotes.

Samira dejó a Jasmín la mañana siguiente sentada en el patio de los aljibes del hospital, en compañía del portero.

—Cuando llegue don Juan al patio avísame. —Y se fue a barrer.

Juan, saliendo de la dirección poco después, contempló a la muchacha: sus manchas eritematosas estaban comenzando a desaparecer. Samira se acercó.

—Esta es la muchacha de que habló usted con don Enrique.

—Está bien. Vamos a la consulta.

La consulta de Juan, como dijimos, estaba en uno de los cuatro pasillos que emergían del patio. Una puerta de cristales y madera, labrados y una ventana, cubierta con una persiana siempre a medio bajar, que daba al patio.

—Entrad las dos. Jasmín, haz el favor de quitarte la camisa. —La muchachita se la quitó y la entregó a Samira.

Tenía áreas enrojecidas en los senos, sobre las clavículas y en el cuello. Ninguna en la espalda.

Luego de contemplar a la muchachita un tiempo, e incluso de sacar una lupa del cajón de la mesa para estudiar las áreas enrojecidas y de pensar en todo tipo de eritemas, psoriasis, erisipeloides y todas las enfermedades eritematosas conocidas, Juan dijo a la joven:

—Jasmín te llamas, ¿no? Ponte tu blusa. Luego se la quedó mirando un tiempo a los ojos, con cara irónica y afirmó:

—Mentirosa.

A la muchachita le enrojecieron las porciones de piel que tenía normales, y no dijo nada, aumentando el temblor que ya tenía.

Samira, sorprendida preguntó:

—¿Por qué dice eso, don Juan?

—Porque esas lesiones se las produce ella. Todos los días veo aquí un buen número de mozos intentando no hacer la mili pretextando diversas enfermedades. ¿Tú no crees que esta muchachita, que tiene cara de lista, ya habría descubierto hace tiempo qué es lo que le causa esos eritemas? ¿Parásitos intestinales? ¿Algún alimento? ¿Algún metal en collares, pulseras o algún adorno? Ella sabe que hay algo que le causa alergia y lo utiliza para producirse esos eritemas. Yo diría, por la forma de sus manchas, que es algún líquido.

Jasmín se echó a llorar amargamente. Samira la abrazó.

La muchacha, entre muchos hipos, confesó:

—Es una crema que tiene mi madre. Descubrí que era alérgica a ella y que donde me la ponía la piel se me enrojecía e hinchaba.

—¿Y para qué haces eso? —preguntó Juan.

—Mis padres me han prometido a un hombre que odio —berreó la muchacha—. Hassan, un gordo seboso y cochino. Quiere hacerme cosas horribles.

Juan miró a Samira.

—¿Y eso no tiene remedio?

—No es fácil. Sé que Hassan anda liado últimamente con una camarera de un bar cercano al mercado. Pero están prometidos Jasmín y Hassan. No sé la dote que les darían a los padres por Jasmín, pero tendrían que devolverla. Por el Corralón de los Carros vive un *adoul*. Tal vez usted o José podrían preguntarle, porque yo no me atrevo.

—¿Y qué hacemos con Jasmín? ¿Qué ocurrirá si les contamos sus aventuras a sus padres? Indagó Juan.

—Nada bueno ocurrir para mí si cuenta lo que he hecho. Me escaparé —se lamentó Jasmín.

La cuestión era menos complicada de lo que parecía. Los padres de Jasmín tiempo atrás habían devuelto el préstamo, por lo que únicamente debían el favor, algo que no tenía ningún valor material, es decir, los padres de Jasmín estaban obligados a atender alguna petición que les hicieran los de Hassan.

Samira y Jasmín les contaron a los padres de la última que la muchacha era alérgica al cabello de Hassan (lo que no estaba muy lejos de la verdad, pues lacio, grasiento y lleno de caspa como lo llevaba, causaba náuseas a la muchacha) y que lo mejor era que anularan su compromiso.

XVIII

Una boda mixta

Demasiado fácil.

Una de las tardes en que fue a visitar a su agarena, el muchachito que usualmente le cuidaba la BMW se quejó:

—El otro no me da nada por cuidarle el 600. Tú mejor hombre.

Notó que una crepitante hoguera le incendiaba el cerebro.

—¿El otro? ¿Qué otro?

—Uno viene algunas tardes a ver Samira. Dice que a enseñar el Corán a ella.

Le dio al muchacho el duro y subió como un cohete al piso.

Samira estaba preparando la cena. Controlando su ira con esfuerzo, el sargento le quitó el *niqab*. En la base del cuello tenía unos cardenales que por su distribución no podían deberse a otra cosa que a los dedos de dos manos.

—¡Quítate la camisa!

Samira comenzó a sollozar mientras se la quitaba. No llevaba nada debajo.

Sus perfectos y juveniles senos y las paredes del tórax estaban llenos de cardenales.

Samira lloraba intercalando los sollozos con hipos.

—¡Bájate los pantalones!

Los redondos muslos estaban también llenos de moretones.

—¿Quién te ha hecho esto?

—El imán. Hace unos días subió a casa y dijo que no podía permitir que yo caminase hacia el infierno por tratar con un perro cristiano y me violó.

—Un imán chií, supongo. Debe pensar que ese es el camino hacia la salvación.

José había estado muchos años en el Dar Riffien, donde había un campamento de la Legión. Hombre curioso, se había interesado por el islamismo lo bastante como para saber que, en contra de los suníes, cuyos imanes eran ministros religiosos solo en el momento de dirigir la oración, los chiíes tenían imanes formados, permanentes, para ejercer una función de control y adoctrinamiento sobre los creyentes.

—No te muevas de aquí —conminó a Samira—. Voy a hablar con ese Imán tuyo a ver si me conviene. ¿Dónde puedo encontrarlo?

Entre sollozos, Samira contestó:

—Pequeña taberna a espalda de la Catedral Nueva, en el Campo del Sur.

—Me extraña mucho que un imán visite una taberna. Ese es un suplantador. No te muevas de aquí hasta que vuelva.

Entre hipos, la mora advirtió:

—Ten cuidado. Es un hombre muy peligroso.

—Sí. Para las mujeres —rugió José.

La ira le embargaba en tanto bajaba las escaleras. Hizo un esfuerzo por dominarse. Al ver al muchacho, le preguntó:

—¿Cómo conoceré al hombre del seiscientos?

—Es fácil. Siempre chilaba blanca. Además, una cicatriz en la frente, como estrella.

Cambió su decisión:

—Mete mi moto en el portal, ¿sabrás? Y cuídala hasta que vuelva.

Manuel asintió. José fue andando por la calle Cardoso y Desamparados hasta salir al Campo del Sur. Tuvo fácil localizar dónde estaba el individuo; un seiscientos blanco, detenido frente a la puerta de la taberna le señalaba.

Era un pequeño y oscuro local.

El dueño se le acercó:

—¿Qué tomas, legionario?

Un antebrazo de José, en el que llevaba grabado el emblema de la legión hacía fácil adivinar su profesión.

—Ponme un fino, Salomón.

Sentado al fondo de la taberna, un hombre de unos cuarenta años, enfundado en una chilaba blanca sobada, de la que emergía el cuello de una deshilachada camisa, con una especie de gran rosario de bolas de madera rodeándole el cuello y colgándole por delante casi hasta la cintura, estaba el supuesto imán. En la mesita tenía un vaso de vino blanco y un platito con una tapa de jamón.

Según le servía, señalándole con la barbilla, José preguntó:

—¿Quién es ese?

—Él presume de imán, pero lo es tanto como yo obispo de Roma —contestó el tabernero—. Un pelmazo que se pasa aquí las horas muertas ojeando a las muchachas que pasan e intentando cazar a alguna.

—Procuraré no hacerte mucho destrozo en el local —dijo José, levantándose del taburete y dirigiéndose al moro que, efectivamente, tenía en la frente una cicatriz estrellada, fruto seguramente de una antigua pedrada.

—Esto por Samira —dijo, dándole un puñetazo que le sacó del asiento y le lanzó contra la pared.

En unos segundos, el moro sacó del bolsillo una navaja de las de resorte y le lanzó un navajazo que, gracias a los reflejos de José, solo le hizo un corte superficial en una pierna. Con una patada arrancó al supuesto imán la navaja de la mano, con otra, al más puro estilo Bruce Lee, lo tiró al suelo y luego, arrodillándose sobre él, se dedicó a machacarle de modo sistemático la cara a puñetazos, mientras mascullaba—: ¿Por qué no me enseñas el Corán a mí?

El tabernero llamó a la Policía. Como la comisaría estaba cerca, llegaron con rapidez.

José registró al inconsciente caído y se metió en el bolsillo su pasaporte.

Cuando entraron los policías, la cara del supuesto imán era un balón desigualmente hinchado, perdiendo sangre por todas las costuras.

—¿Ta das cuenta, tabernero? No te he roto nada —dijo José y luego, dirigiéndose a los policías—. Soy sargento de la Legión, no me podéis poner esposas. Os acompaño a la comisaría. Esta es la documentación de ese pollo, que se hace pasar por sacerdote musulmán —añadió entregándoles el pasaporte.

—Primero vamos al hospital a que le cosan a usted el corte de la pierna.

Lo llevaron en el coche de la Policía.

El teniente practicante, Enrique, dijo al verlo:

—Pero hombre, ¿así andamos? ¿Quieres que te cosa esto yo o esperamos al cirujano?

—Cósemelo tú. Y no olvides dar el parte. Y poner en él que esto es un corte de navaja.

—Vale. Pondré en el aparte lo que es, una herida inciso cortante, probablemente producida con una navaja.

—Es lo que es —dijo José. Luego aguantó que le diera los puntos sin anestesia.

En la comisaría y ante el juez de guardia, José contó las cosas tal y como habían sucedido.

—Convendría que su pareja denunciara malos tratos, antes de que le desparezcan los cardenales. Necesitará un parte de la casa de socorro. Eso le facilitaría bastante a usted las cosas, sargento. De momento, hasta que se vea el juicio, lo dejaré en libertad, pero tiene que darme los datos de su destino.

Cuatro horas más tarde del comienzo de su cruzada, José volvía a casa de Samira.

Su moto seguía el portal. Samira tenía los ojos hinchados de llorar.

—Vamos a la casa de socorro a que te vean los cardenales.

—No. No quiero que me miren —dijo la muchacha.

José la cogió de un brazo.

—¿Quieres que me metan en la cárcel?

Afortunadamente para la muchacha, en la casa de socorro había una doctora, que hizo un parte nada beneficioso para Muhammad Gandar, el falso imán, pero exigió que Samira se desnudase ante ella y que se dejase introducir un colposcopio en la vagina.

—Bien —dijo—. Has sufrido una violación y una paliza. ¿Ese hombre que hay fuera es el causante?

—¡No! Él es mi pareja. Ha sido un musulmán quien me lo ha hecho.

—Bueno. Este parte irá a parar a la comisaría. Ya te llamarán.

Con una avergonzada y llorosa Samira, José abandonó la casa de socorro.

—Ahora vamos a cenar a un restaurante.

—Puedo hacer la cena yo, en casa.

—Te he dicho que vamos a cenar. Tú y yo —gruñó José—. ¿Por qué no me dijiste nada de lo que te había pasado?

—No darme tiempo, José.

Fueron a La Camelia de la Plaza de San Juan de Dios.

—¿Le has contado a tu familia algo de lo nuestro? —preguntó José cuando estuvieron sentados a una mesa.

—Les he dicho que estaba con un militar —contestó la mora con los ojos bajos.

—Te habrán preguntado si nos íbamos a casar, ¿no?

—Sí. Mi padre me lo preguntó.

—¿Y qué les has dicho?

—Que no sabía —contestó cautamente la muchacha.

—¿Tú querrías casarte conmigo? —preguntó el legionario.

La muchacha estuvo unos momentos mirándose las rodillas, enfundadas en los vaqueros. Luego levantó los ojos y con cara de felicidad dijo:

—¡Claro que sí!

No hubo ningún problema con el juicio. Muhammad fue deportado a su país. Los puñetazos fueron atribuidos a defensa propia, con ayuda de la declaración del tabernero que estaba harto de tener a aquel individuo sentado todas las tardes en su taberna.

José no quería complicaciones y le dijo a Samira:

—No quiero una boda religiosa. Es demasiado complicada. Quiero que nos casemos por lo civil.

—Bien. Pero tu madre tiene que ir a Tetuán, a pedir mi mano a mis padres. Si no lo hacemos así, mis padres no me lo perdonarán y hace poco que me he reconciliado con ellos. Esta visita es muy importante —dijo Samira—. Tenemos que llevar los anillos de boda, que hay que intercambiar. Además, hay que hacer el contrato de boda.

—¿Pero eso no se hace en el juzgado? —preguntó José.

—Aparte de que luego vayamos al juzgado, para nosotros lo más importante es el acta de la boda, que es como un contrato en el cual yo paso a depender de ti y dejo de hacerlo de mis padres.

—Me parece que tú dependes más bien poco de nadie.

José decidió ceder algo. Habló con su madre y ambos fueron a Tetuán a ver a la familia de Samira, a pedir su mano.

Vivían en la medina, en una casa de una planta, oculta tras blanqueadas paredes y una oscura y claveteada puerta.

Un zaguán que daba entrada a un saloncito, el suelo cubierto de alfombras, bancos revestidos de cojines junto a las paredes, dos mesitas bajas cuadradas, repisas en la pared. Un dormitorio al fondo, cuya entrada formaba un arco, sin puerta, y una cocina.

La madre de Samira era una bella mujer de media edad, vestida con un caftán oscuro y el padre, un hombre delgado, seco, con una barbita en punta, vestido con una chilaba marrón. Era funcionario de nivel bajo del Majzén.

—Bienvenidos a esta casa. —Fue el recibimiento del padre.

Todos se sentaron en los cojines. Apareció Samira llevando una bandeja de cobre repujado con una tetera, un azucarero, vasitos con hojas de hierbabuena y un plato que contenía dátiles rellenos de nueces y almendras, que colocó sobre una de las dos mesas. Volvió a la cocina y trajo una jarra de leche.

Eloísa, la madre de José, comenzó el diálogo diciendo:

—Nuestros hijos se quieren casar. Vengo a pedir la mano de Samira.

—Samira —dijo Yusuf— ya nos dijo que estaba con un hombre, que la quería y que querían casarse. Me dijo también que no querían hacerlo según la tradición de Marruecos, lo cual me disgusta.

—Señor —argumentó Eloísa—, a mí me hubiera gustado que mi hijo se casara al modo cristiano, con su uniforme de gala y yo con un traje de falda larga..., pero lo que no puede ser...

—No puede ser —añadió Yusuf—. Sin embargo, hay cosas de una boda marroquí que no pueden evitarse, por ejemplo el *sdaq* y el contrato.

—Lo de la dote no me parece necesario —dijo José—, más bien me crearía un problema. Si me dieran una dote de, por ejemplo, dos vacas, un caballo o un rebaño de cabras, no tengo ni dónde tenerlos ni tiempo para cuidarlos.

—Pero tengo que darle por mi hija un *sdaq*, una dote. Si no lo hago, ella pensará que no la queremos y usted que se casa con una mendiga.

Se levantó, entro en el dormitorio y salió de él llevando una bolsita de terciopelo rojo y una carpeta. Se sentó y se las dio a José.

Este abrió intrigado la bolsita. Contenía cinco monedas de oro de buen tamaño.

—Es una moneda rara, de quinientos *dirhams* de oro. Pesa una onza y vale unos mil dólares —dijo Yusuf.

José contempló la moneda que tenía grabado en el anverso un Hércules con un himatión en un brazo y una clava en la otra mano. Vio la cara con que le miraba Samira y comprendió que no las podía rechazar. Hizo lo primero que se le ocurrió, besó una de las monedas y dijo:

—Esta moneda es signo de nuestra prosperidad futura.

Los padres de Samira sonrieron complacidos.

Luego, tras desatar las cintas que la cerraban, abrió la carpeta y se encontró con un historiado documento en chelja y en castellano con un espacio para inscribir los nombres de los contrayentes, según el cual José recibía como esposa a Samira, pasando a él la patria potestad sobre la muchacha. Yusuf cogió el documento, alcanzó un tintero y una pluma de mango muy historiado y apoyándose en una de las mesitas escribió con una letra de calígrafo los nombres de los contrayentes y luego de abanicarse con el documento para que se secase la tinta, lo devolvió a José.

—Espero —dijo Yusuf— que consigas controlarla. Es tan sumamente inquieta y rebelde que yo no pude. Cuando tenía catorce años se escapó a Cádiz con un vecino. Solo hace seis meses que la hemos vuelto a ver. Vamos ahora a intercambiar los anillos.

Eloísa sacó el anillo y una pulsera barbada de pedida que le había hecho comprar a José. Este, después de lo de las monedas, se alegró de haberlo hecho. José le puso el anillo y la pulsera a la muchacha, cuyos negros ojos brillaban por las lágrimas que contenían. A Samira le temblaban las manos tanto que no acertaba a ponerle el anillo a su marido.

Luego de una agradable tarde, se volvieron los tres a Ceuta, en el tren, a Algeciras en la Trasmediterránea y a Cádiz, en el autobús de Comes.

Acudieron al registro civil en sábado, que es el día en que se celebran las bodas en Marruecos. Samira llevaba complicados dibujos en los pies y las manos, con hena. Cuando José le preguntó qué significado tenía eso, contestó que era para ahuyentar a los *ẓnun*, una especie de demonios domésticos parecidos a *till eulenspiegel*.

A José le había obligado Samira a introducir la mano derecha en hena, por lo que la tenía de un color siena tostada, más tostado que el suyo propio. En el juzgado estuvieron los padres de Samira, la madre de José y el teniente Enrique.

Antes de salir del registro, Samira había solicitado la nacionalidad española.

Tímidamente preguntó, cuando luego de comer todos en el Restaurante El Anteojo y despedir a la familia llegaron a casa.

—¿Me dejas seguir llevando el *niqab*? Me encuentro rara sin él.

—¿Y nunca podré acariciarte el pelo?

—Cuando queras hacerlo me lo quitas —dijo quitándoselo y pasando los dedos entre el pelo. con coquetería. Deshecha la gruesa trenza, el cabello le llegaba a la cintura.

XIX

La Casa de Viudas

Huyendo de la claustrofobia que le producía su cuarto, cuando no estaba en el despacho que tenía en la sala, Juan se iba a leer a la biblioteca del hospital.

Era esta una habitación de la planta baja, junto a la dirección, alargada, con una única ventana con gruesos barrotes al fondo. Estaba amueblada con estanterías llenas de libros de medicina de cincuenta y más años atrás, una larga mesa y sillas. En la pared, una litografía en blanco y negro con el rostro de un Franco joven, con su bigotito a lo Hitler, una mirada vaga y una sonrisa como la de *La Gioconda*.

A veces se entretenía consultando los viejos libros. Especialmente los de dermatología eran auténticos tesoros, con sus láminas en papel de dibujo, pegadas al libro. Los dibujos eran a plumilla, coloreados con acuarela, en los cuales las piezas anatómicas con lesiones cutáneas eran representadas siempre sobre un paño.

Eran sumamente entretenidos los libros de medicina legal de don Isaías Sánchez Tejerina, que había sido catedrático de tal asignatura en las Universidades de Salamanca y Madrid, libros cuajados de los más pintorescos ejemplos y en los cuales podía uno aprender cómo ahorcarse sentado desde los pies de una cama o aclararse de sí una joven de constitución normal podía o no ser violada por un individuo corpulento sin que ningún otro la sujetara.

Estaba leyéndose una de las primeras ediciones de la *Patología Médica* de Harrison, en inglés, libro que evidentemente era de su propiedad y no pertenecía a la biblioteca, cuando entró Antonio, el portero.

—Capitán, viene una mujer de la Casa de Viudas para ver si puede atender a una viejecita que se les ha puesto muy mala y no tiene seguridad social.

La Casa de Viudas es uno de esos establecimientos que solo pueden darse en ciudades muy antiguas como Cádiz. Un caserón de dos pisos, de estilo barroco clásico, oxímoron que quiere decir que aunque su estilo es el barroco andaluz, la austeridad de sus formas lo aproximaban al neoclasicismo. Ocupa un lateral completo de la plaza Fragela, el que se enfrenta al teatro Falla. En parte su historia se encuentra resumida en la leyenda contenida en un escudo de mármol sobre la puerta principal.

Fue construida por orden y con financiación de un negociante armenio según unos, damasceno según la leyenda incluida en el mármol de la entrada, don Juan Ciat alias Fragela[16], «para recoger allí a las viudas y doncellas pobres de Cádiz». Se fundó, según la citada placa de mármol del frontispicio, en 1756.

En la portería le esperaba una mujer de media edad, que era la encargada de la residencia.

---

16. Difícil saber el significado de este apodo. *Fragaria* significa «fresa». No se nos ocurre más que el color de su piel fuese rojizo o que fuera pelirrojo.

—Don Juan, siento molestarle, pero la pobre abuela no tie-ne seguridad social.

—Eso es porque no se la han gestionado ustedes. Venga, vamos allá —dijo, cogiendo de las manos del sanitario que se la traía, su cartera de médico—. Y tú, vente conmigo —ordenó al soldado.

Al entrar en el edificio se quedó maravillado.

Ingresaron en un cuadrado patio interior, circundado por arcos rebajados, sobre columnas con el fuste un poco abom-bado (toscanas), de mármol blanco «iguales que las de mi sala», pensó Juan. El suelo era de losas también de mármol. En un lado del patio había dos pozos con historiados brocales, que si no eran iguales a los del Hospital Militar, eran de la misma mano. Había algunas macetas, no muchas, y en el centro un ánfora de pie sobre un soporte de metal.

La impresión de Juan fue de haberse trasladado en el tiem-po doscientos años atrás.

La celadora le condujo, tras subir unas escaleras, a un am-plio y soleado pasillo, en uno de cuyos laterales se abrían los altos ventanales del segundo piso de la fachada y del otro las puertas de las habitaciones de las asiladas. Estas disponían de un cuarto y una especie de alacena, abierta en la pared del cuar-to, cada una.

El sol entrando por los ventanales, la amplitud del pasillo, las vigas de madera vista del techo, todo contribuía a crear un ambiente alegre e intemporal, en lo que era un asilo de ancianas.

El médico y la celadora entraron en el cuarto de la enferma. Esta, con la cara cianótica y los labios morados, estaba sentada en la cama. Otra ancianita estaba también sentada junto a ella en una sillita baja de anea.

Los muebles eran sencillos, los platos y cubiertos que mostraba un aparador parecían pertenecer a un lejano pasado, un cofre que hacía de mesa auxiliar en un rincón semejaba el de un pirata, la mesa y las sillas, sin barnizar aparecían pulidas.

Siguiendo las miradas de Juan, la celadora dijo:

—Se limpian con estropajo y jabón. Nada más.

La viejecita tenía lo que los libros antiguos de medicina denominaban un *delirium cordis*[17] y un edema pulmonar.

Juan sacó una hoja de la cartera y anotó en ella:

—Cedilanid, ampollas.
—Seguril ampollas.

—Dile a sor Gabriela que te dé esto —dijo al sanitario.

En tanto volvía, se salieron al pasillo la celadora y Juan.

—¿Cómo funciona este establecimiento? ¿De quién depende?

—Es una fundación —dijo la celadora—. Depende del obispado a efectos de administración y de la diputación a efectos de financiación. Es un asilo para ancianas «nacidas en Cádiz, de limpia y honrada familia y desvalidas». Para ingresar, en tiempos de su fundación, tenían que aportar un documento de un párroco que certificara que eran «personas de vida honesta y virtuosa». Las plazas se dan por un sorteo, mediante papeletas que tiene que extraer de una urna una niña de menos de diez años. Todo esto está especificado en el testamento de don Joao Fragela que, sin duda, tomó estas medidas para evitar que su fundación se convirtiera en un asilo para prostitutas jubiladas.

Volvió el sanitario.

Juan, con la habilidad que le daban los años de experiencia, inyectó una ampolla de cada clase en vena a la viejecita y le dijo:

17. Arritmia completa por insuficiencia cardiaca.

—Orinará usted sin parar hasta la noche. Eso es para que su corazón trabaje menos. Mañana volveré a verla.

La viejecita intentó besarle las manos, Juan no se dejó.

—¿Cuántos años tiene, señora?

—Ochenta y seis.

—Vamos a ver si le echamos un remiendo —dijo Juan.

—Ya sé que no me va usted a dejar como cuando tenía veinte años —comentó la viejecita—. Yo lo que quiero es irme zafando.

Juan contempló los inteligentes ojos de la anciana y preguntó:

—¿Irse zafando de qué o de quién?

—Usted ya sabe. De la pelona de la guadaña.

Carmen llamó a Juan por teléfono aquella tarde.

—Juan, Eduardo Palomino, mi novio, propone que mañana sábado vayamos a la playa y comamos en un chiringuito. María dice que lo que tú digas, ¿te apuntas?

—¿Y por qué no me lo pregunta ella?

—Contigo se ha vuelto muy tímida. Le impones respeto.

—Espero imponerle respeto, pero a sí misma —respondió Juan—. A las once os recojo en vuestra casa. Díselo a tu novio.

A las once del sábado, luego de haber pasado visita en la sala, subía Juan las escaleras de la casa de las muchachas. Llevaba un paquete para María. Esta abrió la puerta y le dio un beso.

—Si te parece bien, vamos a la playa de Valdelagrana. Va mejor gente que a la Puntilla —dijo Mary.

Carmen y Eduardo esperaban en el cuarto de estar.

—¿Nos vamos ya? —preguntó Carmen—. ¿Qué es ese paquete?

—Un bañador para María. María, póntelo, que veamos cómo te está.

—Pero yo... —intentó decir María.

—Póntelo.

María se fue a su cuarto se quitó el vestido y el bikini que tenía debajo y se puso el bañador. Salió al cuarto de estar.

—¿Te gusta?

—Es precioso. Te ha tenido que costar muy caro —dijo María.

—No quiero que te pongas bikinis —observó Juan.

—Ese bañador es mucho más erótico que un bikini —opinó Eduardo.

De un color celeste pálido, una sola pieza y escote palabra de honor, las copas convergían en un anillo de metal sobre el esternón.

—Eres un moro, Juan. Si alguien en la playa puede llevar un bikini, esa es María —le increpó Carmen.

—A mí me gusta este bañador —terminó María.

Aún no existía el paseo marítimo ni habían proliferado los edificios de apartamentos. La playa era un sitio relativamente tranquilo. Aparcaron junto a uno de los edificios. La orilla en sí era una concha de arena fina y dorada, que limitaba el pacífico mar de la Bahía.

Extendieron sus toallas. María se sentó en la suya y contempló el horizonte. Se había puesto un sombrero de paja enorme.

—Eso es una tienda de campaña, más que un sombrero —bromeó Juan—. Así y todo, déjame que te dé esta crema solar.

Le repartió la crema por la espalda con un suave masaje que luego continuó por los hombros y las clavículas. Luego continuó por los muslos y las piernas. María sintió un escalofrío y se puso rígida. Juan sonrió.

—Si sigues, grito —murmuró María.

Se acercó a ellos un grupo de jóvenes de ambos sexos, que los rodearon.

Eran amigos de Carmen y María.

—No os vemos por aquí últimamente —dijo uno de ellos, Antonio—Anthony—Tony, hijo de un rico bodeguero, devorando a María con los ojos—. ¿Ahora te vistes según moda retro? Estabas mejor con aquel bikini rojo.

—Me he hecho mayor —contestó riendo María—, además, mi novio no me deja ponerme bikinis.

—Te has echado un novio un poco mayor, ¿no? —preguntó una del grupo.

—Es que no me he afeitado hoy —explicó Juan aceptando la broma—. Vamos al agua, Mary.

María, sin chistar, le siguió. Se alejaron de la orilla nadando.

—¿Van en serio? —preguntó el de las miradas lascivas.

—Completamente —afirmó Carmen—. Yo no les gastaría bromas. Juan, que es el novio, tiene muy malas pulgas y está encoñado con ella.

—Con María estamos encoñados todos —dijo otro del grupo.

—Se ha portado muy bien con ella —indicó Carmen—, la ha sacado de un feo asunto en el que se estaba metiendo.

—Mira que está bien hecha... Y con ese bañador ya es demasiado —dijo Tony.

—Cálmate, muchacho —dijo Eduardo—. Agua que no has de beber, déjala correr.

—Lo malo es que muchos hemos bebido de ese agua —sostuvo otro del grupo— y aún tenemos sed.

—Dejadlos en paz —insistió Carmen—, Juan no bromea. A un quinqui que también tenía sed de Mary lo sacó de nuestra casa llevándole escaleras abajo con una pistola en la nuca. Es lo que necesita María; un tío un poco mayor, bragado, que la quiera y ordene su vida.

María y Juan estuvieron jugando en el agua un rato, incluyendo en los juegos un beso que los dejó sin respiración. Al salir del agua, Juan cogió el sombrero y la toalla de María y la extendieron unos metros lejos del grupo.

María se tumbó sobre la toalla y se puso su sombrero encima del cuerpo y la cabeza. Poco después Juan veía el sombrero ascender y descender pausadamente. Se había dormido. Juan le echó la pashmina que llevaba la muchacha sobre las picrnas y contempló la playa.

Se dirigió a Eduardo y Carmen y les dijo:

—Poneos más cerca de ella. Está frita. Yo me voy al agua.

Al cabo de un rato, bruscamente la bella durmiente se despertó y preguntó sobresaltada:

—¿Y Juan? ¿Se ha ido?

Eduardo se rio.

—No, mujer. No te ha abandonado. Aquella cabecita que se ve a lo lejos en el agua es Juan.

Cuando salió del agua, Juan dijo:

—¿Nos vamos a comer? Estoy harto de sol.

—Os voy a llevar, mejor dicho, os va a llevar Eduardo a un sitio bastante curioso y barato —afirmó Carmen.

Fueron a La Cantyna, un restaurante americano. Alojado en una casa de troncos de madera y regido por una pareja de norteamericanos, era un sitio sobre todo frecuentado por soldados americanos de la base de Rota. Por fuera los muros eran de troncos sin desbastar ensamblados. Por dentro las paredes estaban cubiertas de paneles de madera. Estaban decoradas con carteles de gran tamaño de artistas de cine americanos. Gary Cooper, Tirone Power, Gene Tierney, Rita Haywort... Y jefes indios, como Toro Sentado.

Ponían canciones de música *country*.

—Me chifla ese tipo de música —afirmó Mary.

Se acercó un camarero vestido de pistolero del Oeste a tomarles nota.

—Aquí lo típico es pedir fríjoles con chile y cerveza Budweiser —aconsejó Eduardo—, pero los fríjoles con chile te queman el paladar de lo que pican —advirtió Eduardo a Juan.

—A usted se los podemos hacer menos picantes, si los quiere así —dijo el camarero.

Luego de sufrir el ardor de los frijoles con chile y el no menor ardor de las miradas de los soldados americanos a las dos muchachas, Carmen dijo:

—Vámonos a casa. Dormiremos una siesta y luego ya veremos qué hacemos.

En casa de las muchachas, Eduardo y Carmen desaparecieron en la habitación de esta.

Mary preguntó:

—¿Quieres que haga café, Juan?

—Me parece buena idea.

Cuando volvió con las dos tazas de café, Mary se sentó con Juan en el sofá. Cuando se lo terminó se tendió colocando la cabeza en los muslos de Juan. Este la acarició el negro cabello. Mary comenzó a decir:

—Qué bañador tan bonito me has... —y se quedó dormida.

Juan contemplaba el hermoso cuerpo de la muchacha, que se traslucía bajo la fina bata que se había puesto, pensando en cuántos hombres habrían manoseado aquel cuerpo, incluyendo a alguno de los de la playa.

Era inevitable que un cuerpo como aquel pasara por innumerables manos. Ava Gardner, Marilyn Monroe, Catherine Deneuve... Y el cuerpo de Mary no desmerecía del de aquellas mujeres.

XX

Rosas blancas

A Tony González (aunque no Byass; la bodega de su familia se llamaba Almonte) la visión del cuerpo de Mary, enfundada en el bañador celeste no se le fue de la mente en las horas siguientes. Incluso al terminar el día, bastante borracho. En la cafetería del Hotel Jerez comentó con sus amigos, que se encontraban en su mismo estado:

—No sé cómo dejé que se escapara esa maestrita. Tal vez esté ahora más bella que cuando la dejé por la pelirroja, pero creo que voy a tener que reconquistarla.

—Ten cuidado —dijo uno de los cortesanos—, el actual disfrutón de sus encantos al parecer no se anda con bromas.

—Si a mí me hace lo que contó Carmen que le hizo al quinqui, me vuelvo de espaldas, me señalo el ojo del culo y le digo: «¡Por favor, soldado, dispárame aquí que ya tengo el agujero hecho!».

Grandes carcajadas entre los acólitos.

—No eres capaz de traerla mañana a la playa y por la tarde al chalet en Valdelagrana de Vicente, que da una fiesta antes de irse a la mili.

—Hagamos una apuesta: cincuenta mil pesetas a que en menos de una semana la llevo a la playa con su bikini rojo. Si no lo consigo dejo, además, que uno de vosotros se tire a la pelirroja.

—Especifica —dijo Eduardo—. A la pelirroja Rhonda, tu novia americana, y cualquiera que nosotros elijamos en el grupo.

—Eso es.

—Hace falta que Rhonda acepte.

—Aceptará. Si no acepta, tendrá que buscar un americano de la base que la mantenga.

Tony, en su Aston Martin DB/4 MK 2 de 1958, de color verde oscuro la chapa, interior verde claro, descapotable y en realidad de dos plazas, porque en los dos asientos de atrás solo cabrían dos culos infantiles, dejó el Aston en el aparcamiento del río. Blandiendo un ramo de rosas blancas. Supuso que Mary estaría en la cama y que Carmen estaría preparando el desayuno.

Cuando salió a abrirle la puerta, Carmen dijo:

—No creas que me sorprendo mucho de verte. Ya me di cuenta de cómo devorabas con los ojos a Mary. Entra. Siéntate. Ahora te la despierto.

—Mary —dijo Carmen entrando en el dormitorio que dejaba completamente a oscuras, porque en otro caso le era imposible dormir—, tienes visita, pero no de quien tú esperas, sino de alguien a quien esperaste inútilmente hace algún tiempo.

Intrigada, se fue al cuarto de baño, se duchó, se arregló el pelo someramente, se puso una bata y fue al cuarto de estar, donde Tony y Carmen charlaban. Carmen señaló el ramo de rosas, que había colocado en un búcaro.

Mary, para tener tiempo y dominar sus nervios dirigió su atención al ramo de rosas blancas.

Verdaderamente eran maravillosas. El puñetero Tony se acordaba de lo que le gustaban. Cuando dominó su temblor interior, se volvió hacia Tony.

—Te esperé un tiempo, hasta que me di cuenta de que lo tuyo era una espantada en toda regla —protestó Mary.

—Me equivoqué. Me fui al campo a coger zanahorias, cuando tenía juntó a mí a la mujer más bella que conozco.

—Pues ya sabes lo que le ocurrió al que se fue a Sevilla.

—No pretendo..., o mejor, sí pretendo recuperar mi silla, pero de momento lo único que quiero es invitarte a comer. No creo que eso sea motivo para que tu capitán me arreste. Te invito a comer en Sevilla, en El Rinconcillo. Te prometo que a media tarde estás en casa. No creo que debas dedicar tu tiempo a un solo hombre. No es justo.

Carmen intentó evitar que Mary volviese atrás y dijo:

—No creo que a Juan le haga gracia que andes por ahí con otros.

—Debe de ser un moro —replicó Tony—, quiere una mujer de bandera para el solo.

Mary se decidió. Había deseado mucho tiempo reencontrarse con Tony. En aquel momento recordó algunos memorables revolcones.

—Está bien. Me arreglaré —dijo ante los horrorizados ojos de Carmen.

Apareció vestida con un traje blanco ajustado y faldicorto que había comprado antes de salir con Juan y le hizo una carantoña a Carmen, que le preguntó:

—Si llama Juan, ¿qué le digo?

—Que no estoy, claro. No tienes que decirle con quién ni dónde.

Le rodeaba el cuello un fular blanco con flores estampadas que caía tras su espalda. El pelo, recogido en un apretado moño, la hacía más semejante a una mujer de Romero de Torres.

Subieron al deportivo y salieron a la nacional. Tony intentó ponerle una mano en un muslo.

—Las manos al volante, chófer.

—¿Quieres conducir tú? —preguntó Tony.

—¿Un deportivo en la autopista? Ni loca. Pero déjame llevarlo en Sevilla.

Contempló a Tony; pecoso, con las pestañas, las cejas y el áspero pelo rojos, atlético, blanco de piel... Se preguntó si no sería descendiente de ingleses asentados en el Puerto cuando comenzó la expansión del comercio del vino de jerez a Inglaterra. Colocó un brazo en la portezuela del descapotable. En aquel momento se sentía feliz. El fular volaba tras su nuca.

—No corras tanto —susurró Mary—, no quiero llegar a ningún sitio. Quisiera seguir así siempre. —Tenía una extraña sensación de ingravidez.

—Ahora recuerdo por qué te dejé. Porque muchas veces no puedo entenderte. Creo que si me dejaras ser tu novio, ahora no te dejaría por eso. Me limitaría a contemplarte... —meditó Tony en voz alta.

—Más cosas querrías hacer que contemplarme, mentiroso.

El verano agostaba extensiones amarillo pardo de cereales. Caseríos, algunos abandonados, salpicaban el campo. Grandes cardos, sus espinosos tallos muy altos, abrían sus flores moradas a los lados de la autopista, en el arcén, alternando con matas de salvia púrpura y matorrales de retama cuajados de flores amarillas.

—Pues aunque no quieras llegar a ningún sitio, te voy a llevar al Rinconcillo, el Restaurante más antiguo de Sevilla. Creo que te gustará.

Aparcaron en el *parking* de la Plaza Nueva. Tony la cogió de una mano sin que ella se resistiera. Ello hizo deducir a Tony que tenía algunas posibilidades. Y dado el confuso pensamiento de Mary aquellos días, las tenía.

El Rinconcillo resultó ser un lugar exquisito. Tras una entrada nada pretenciosa, en la que se indicaba el año de la fundación, 1670, botas de roble en la entrada y salas cuyo techo era de antiguas vigas de madera, paredes ocupadas por paneles de mosaico con distintos diseños. Muebles antiguos: consolas con vitrina, oscuros cuadros arcaicos...

Cada sala tenía el suelo a un distinto nivel, las ventanas tenían contraventanas de madera pintadas de oscuro, el mismo que las contrahuellas de los escalones.

Todo tenía un aspecto acogedor, entrañable, antiguo.

—Menos mal —dijo Mary riendo— que me has invitado a una comida y no a una cena. Pensaría que tenías malas intenciones.

—He sido prudente. Vamos poco a poco —dijo Tony.

—¿No han reservado? Venga por aquí, don Antonio —dijo el camarero, y les colocó en una mesa junto a una ventana.

—¡Qué cara tienes! Me has traído a tu cazadero privado —se quejó Mary.

—¿Es que no te gusta el sitio? Aquí pudo tomarse unos vinos hasta Cervantes —afirmó Tony.

—Tan imposible como reanudar nuestras relaciones.

—¿Por qué?

—Porque Cervantes murió en 1616, burro. Lo segundo, porque tengo novio formal.

—No quiero que seas otra vez mi novia solo para acostarme contigo. Lo que quiero es que nos casemos.

—Dime las cosas bien —dijo Mary—. Tienes que decirme: «Ratita, qué bonita eres. ¿Te quieres casar conmigo?».

—Bueno, está bien: ratita, ¿te quieres casar conmigo?

—¿Y qué harás por la noche?

—Me estás tomando el pelo... Meter y sacar —contestó Tony.

—Eres malo. Tenías que responder: «Dormir y callar, dormir y callar».

Un hombre de mediana edad, que estaba sentado en la mesa de al lado, estalló en carcajadas. Luego dijo mirando a Mary:

—Me temo que su compañero no es el ratoncito, sino el gato.

Llamó al camarero.

—¿Quiere traer una botella de *champagne* a esa mesa?

Tony, bastante amoscado, aguantó la intromisión.

—¿Quién es ese? —preguntó Tony al camarero.

—El alcalde de El Puerto y su mujer.

—Traiga dos copas más para ellos —dijo Mary, que se encontraba a gusto

—Alcalde soy una de sus conciudadanas.

El alcalde cerró los ojos, meditó, los abrió y dijo:

—Claro. Tú eres la maestra. Te recuerdo de la inauguración de este curso. Llevabas un traje de seda lamé negro con un hombro al descubierto. Pensé decirte que por qué no te presentabas al concurso de miss de El Puerto. También pensé que te parecías a Ava Gardner, pero desapareciste.

—Menos mal —dijo la mujer del alcalde.

La comida terminó con unos tiramisús. Rosa, la mujer del alcalde exclamó:

—Mírala, cómo come y el tipo que tiene.

Ambos vecinos se levantaron. Rosa, dirigiéndose a Mary, le dijo:

—Venid un día a casa. Os invito a merendar.

Tony se bebió solo la mayor parte de la botella de *champagne*. No contento con ello, pidió una copa de pacharán con hielo.

—No debieras tomar más alcohol. Tenemos que volver al Puerto, tienes que conducir —le reconvino Maria.

—Ahora me acuerdo de por qué te dejé; querías organizar mi vida, lo mismo que pretendes ahora. Si quiero tomarme un pacharán, me lo tomo. Yo como mejor conduzco es bebido.

Mary se puso en pie y salió del restaurante. Antonio intentó seguirla, pero el camarero le detuvo, cogiéndole de un brazo:

—Hay una cuenta que pagar, don Antonio.

Antonio se soltó de un tirón y puso en la mano del camarero quinientas pesetas.

—La vuelta para ti.

Al salir a la calle, no vio a Mary por ningún lado.

Esta se dirigía a la Central de Autobuses cuando, al cruzar un paso de peatones, un automóvil tocó dos veces el claxon. Supuso que se trataba de algún ligón, sin embargo miró:

Era el alcalde. Su mujer dijo:

—Sube, Mary. ¿Te llevamos a algún sitio? ¿Qué ha pasado con el bodeguero?

Mary subió al auto.

—Está bebido. No me fío de él como chófer. Yo voy a la estación de autobuses.

—Ven con nosotros. Estarás más segura.

En casa estaba Carmen. Preguntó:

—¿Cómo ha ido la cosa?

—Quería que volviéramos a ser novios. Se emborrachó y le dejé.

—¿O sea, que se la has devuelto?

—Más o menos. Es un buen partido, pero dudo que nunca se busque un trabajo en serio.

—Pero teniendo su padre una bodega, ¿para qué quiere un trabajo en serio? —dijo Carmen.

—Para no estar buscando todo el día con qué entretenerse. No voy a salir nunca más con ese.

—Mejor que no le cuentes tus aventuras a Juan. Creo que con lo moro que es tendríais un disgusto muy gordo.

XXI

Anciana adivina

El lunes, Juan se despertó tarde, probablemente por efecto del sol que había tomado los días anteriores. Se levantó, se puso su albornoz blanco de la academia y se fue al cuarto de baño.

Cuando volvió, tenía encima de la mesa su tazón de esa mixtura que en los Hospitales Militares llamaban café (una mezcla de café y achicoria, con más de esta que de aquel) y galletas.

Luego subió a la sala. Estaba sor Gabriela.

—Sor, ¿qué hace aquí? Hoy es fiesta de guardar. No se puede trabajar.

La sor contestó sonriendo:

—Para mí esto no es trabajo, es vocacional. Además, no estamos en domingo. Es lunes.

Vistos una ancianita con una EPOC, un soldado gallego con una amigdalitis y un capitán retirado, con una febrícula, de momento de causa desconocida, le llamó por teléfono Antonio, el portero.

—Mi capitán, hay aquí una joven que pregunta por usted.

—Que se siente en el patio y me espere. Ahora bajo.

Bajaron Juan y sor Gabriela.

Mary estaba contemplando la tapa del brocal de uno de los pozos.

—Sor Gabriela —presentó Juan—. Esta es Mary, mi novia.

La hermana comenzó a decir:

—Pero esta no…, ¡uy! —dijo enrojeciendo.

—Esta no es la de antes. Esta es otra —dijo Juan provocando la risa de Mary y aumentando el azoramiento de la monja, que dio una especie de espantada camino de las cocinas.

—¿Cómo es que has venido a Cádiz? Ayer domingo tuve aquí a un par de amigos de Madrid y no puede llamarte. ¿Me echabas de menos? —preguntó Juan.

—No sé. Me desperté esta mañana con ganas de verte. Sin pensarlo, pedí permiso, cogí el autobús y me vine a sorprenderte (en realidad, era el remordimiento de su fuga con Tony el día anterior lo que la había llevado a Cádiz esa mañana).

Una bonita blusa blanca con encajes, una falda gris, tableada, hasta las rodillas y unos mocasines. Una rebeca gris completaba su figura.

—Me gusta un montón cómo vistes ahora —ponderó Juan.

—Soy una chica decente y obediente.

—¿Qué hiciste tú todo el domingo?

Mary había decidido no tener secretos con Juan, así que dijo:

—Por la mañana apareció en casa Tony, mi antiguo novio, y me invitó a comer en Sevilla. Estuve con él toda la mañana y la tarde.

En un acto cortocircuito, de modo instantáneo, Juan dio una bofetada a Mary que la hizo trastabillar y gritó:

—¿Y la noche no?

Ambos quedaron paralizados por la sorpresa. En la mejilla de Mary la huella en blanco de los cinco dedos se iba volviendo roja y abultando. Mary intentó salir del hospital, pero Juan le interceptó el paso.

—Lo siento —dijo Juan—, te aseguro que no quería hacerlo, pero... ¿Tú no eres mi novia? ¿Qué haces pindongueando con ese gilipollas? ¿Te acostaste con él? ¿Te apetecía?

Mary, sin contestar, entró en los lavabos, mojó el pañuelo doblado en agua y lo colocó en la dolorida mejilla. Luego se sentó en un banco del patio. Juan se sentó junto a ella. Mary se lamentó:

—No sé qué quería. Tal vez estar con alguien menos dominante que tú. Tienes madera de machista y de maltratador. ¡Déjame! Quiero irme a mi casa.

—Te juro que no lo haré nunca más. Los celos me han dejado ciego. Me cuesta apartar de mi mente el pensamiento de que varios hombres te han poseído en el pasado.

—Pensando así, nunca podremos tener unas relaciones normales —pensó Mary en voz alta—. Deberíamos dejarlo. Soy un precioso objeto, todo el mundo quiere comprarme, poseerme, castigarme, maltratarme, ponerme a sus pies... —Luego, en un momento extralúcido añadió—: Matarme.

Juan, que la había cogido de ambas manos, se inclinó sobre ella, la besó en la maltratada mejilla y exclamó:

—Yo te protegeré. Hasta de mí mismo.

—Dices cosas absurdas, Juan.

—Vamos a ver a una enferma y luego nos damos un paseo por la Alameda Apodaca. ¿Me perdonas?

Mary no contestó.

Juan cogió su maletín y se lo dio a un sanitario:

—Vente con nosotros, vamos a la Casa de Viudas.

La celadora los vio entrar y acudió a ellos:

—Doctor. Buenos días. La abuelilla está mucho mejor.

—Luego, viendo que Mary contemplaba el patio admirada dijo—: Señorita, le voy a enseñar algo que pocos de fuera ven.

—Y les llevó a la capilla del centro.

La planta era de cruz latina. Encalada de azul y blanco. Cuatro cortos bancos. Un altar y, tras de él, un retablo con cuatro cuadros enmarcados en dorado. Uno de Jesús, arriba y tres abajo, estos con la Virgen y Jesús niño, San Juan Evangelista y San José.

A la derecha, un crucifijo tallado en madera oscura sobre una columna blanca muy rococó. En una repisa en la pared posterior al altar, una estatua de Jesús niño. Había oscuros cuadros religiosos colgados en las otras paredes.

Los arcos del techo estaban guarnecidos con tubos neón curvos que hacían de embocadura. Juan pensó que a la capilla le sentaban los tubos neón como a un Cristo dos pistolas, pero se dio cuenta de que aquella bombonera rococó, tan cuidada, era el sumun del arte arquitectónico en el criterio de la celadora y la alabó en consecuencia.

Mary se arrodilló en el reclinatorio de uno de los bancos y se puso a rezar sin más, dejando perplejo a Juan. ¿Era una simulación?

—Déjela que rece —dijo la celadora—. Vamos a ver a Adelina.

—Quédate aquí junto a la entrada de la capilla —dijo Juan al sanitario—. Cuando la señorita salga, la traes con nosotros.

La señora Adelina les esperaba sentada en la cama. Su color cianótico se había transformado en marfileño. Muy contenta dijo:

—Doctor, es maravilloso, me ha curado con dos inyecciones.

—El milagro no es mío. Es de la dedalera.

—Pero la dedalera es una planta muy venenosa —dijo la viejecita.

—Pero de ella se obtiene la digital. Remánguese que le ponga la segunda dedalera.

En la puerta de la habitación aparecieron Mary y el sanitario.

Cuando Juan terminó, la anciana, dirigiéndose a Mary dijo:

—Entra, muchacha, ven aquí. Siéntate aquí. —La cogió de una mano y la obligó a sentarse en la sillita de anea—. ¡Qué bonitos y raros iris tienes! Sabes que en el iris hay un mapa de nuestro cuerpo y una historia de nuestro pasado. No tengas miedo. —Y le cogió la mano izquierda y la abrió en su regazo.

»Tienes un pasado reciente oscuro..., pero estás decidida a dejarlo atrás, ¡bien! No es culpa tuya ese pasado. Nadie te protegía. Pero ahora tienes al doctor. Es un buen hombre. No lo dejes o el pasado volverá y te devorará. —Y de pronto le soltó la mano, evidentemente asustada.

Juan miró a la viejecita sorprendido. Adelina le dijo:

—Tienes responsabilidades con muchos enfermos. Conmigo, por ejemplo, pero esta muchacha es tu mayor responsabilidad. Dudas si aceptarla. Si no la aceptas, serás toda tu vida un desgraciado.

—Hasta mañana, doctor, estoy muy cansada.

Y se dejó caer en la almohada.

Salieron de la Casa de Viudas y anduvieron por la Plaza de la Cruz de la Verdad y del Mentidero (sorprendente asociación de apelativos, un oxímoron) hasta el gran magnolio que hay enfrente del Gobierno Militar. Se sentaron en un banco. Mary comenzó a decir:

—¿Cómo sabía...?

Juan le puso un dedo en los labios y le paso luego un brazo por los hombros.

Tenían delante una fuente cuyo surtidor caía en un estanque cuadrado. El suelo era de losas de mármol blanco alternándose con cuadrados del mismo tamaño formados por guijarros redondeados. La balaustrada sobre el mar se reflejaba en un charco producido por el riego. Juan acarició el negro cabello de Mary, que apoyó la cabeza en su hombro.

—No sé cómo lo sabía. A lo mejor es una vieja adivina. ¿Te das cuenta? Me ha hecho responsable de ti.

—Es que lo eres, Juan. Sin ti me habría hundido del todo.

—Entonces, ¿me perdonas la bofetada de antes?

—A lo mejor me la merecía —confesó Mary.

El martes siguiente, Juan bajó a mediodía a la secretaría, a entregar un fajo de documentos, la observación de propuestas de inutilidad, historias de enfermos dados de alta, estadillos varios. Encontró a los tres auxiliares administrativos que salían en su media hora de descanso a tomarse su fino con tapita de jamón mismo a la taberna y se unió a ellos.

Cuando los cuatro tenían su copa de pálido ámbar en la mano dijo Paco:

—Algún pajarito me ha dicho al oído que el sábado estuvo en la playa con una mujer de bandera.

—En Madrid, tú sales con una mujer de bandera y ni el mástil ni los pajaritos se enteran —contestó Juan.

—Pues aquí dicen que estuvo en Valdelagrana con una maestra del Puerto que llevaba un bañador celeste. Y que estaba mortal.

Guillermo preguntó sorprendido;

—¿Estuvo usted con Mary Rivas en la playa?

—Pues sí, estuve.

—Tenga cuidado, capitán. Esa no es mujer para ir en serio. Ha rodado mucho, con lo joven que es. Es mujer para darse pisto, para acostarse con ella, pero nada más. No se comprometa.

—Ya es tarde. Ya estoy comprometido —contestó Juan.

Francisco, otro auxiliar intervino:

—Apártese de ella. Su padre, un comerciante del Puerto y su madre se separaron hace unos años porque el padre se aburrió de que le pusieran los cuernos. La madre tiene muy mala fama. Si usted intentase casarse con María, el Ejército abriría la correspondiente investigación previa y no lo autorizarían.

—Es muy fácil para vosotros decirme «¡déjala!». Me gustaría saber, si ella hubiera elegido a uno de ustedes, ese sería capaz de seguir estos sensatos consejos.

Guillermo, seriamente, dijo:

—Al que eligiera lo hundiría en la miseria, pero haga una prueba; llévela a un baile de la Patrona de Artillería y verá lo que ocurre.

—Ya he visto en la playa lo que ocurre. A mí me obedece. Le dije que vistiera decentemente y lo hace. Le dije que no quería que se pintase y va con la cara lavada. Ese bañador celeste se lo compré yo porque le prohibí ponerse un bikini... No hace falta esa prueba que me dices, Guillermo. Me doy cuenta de que ha rodado lo suyo.

—No se enfade, capitán, lo decimos por su bien —dijo Eduardo.

—Ya lo sé. Pago otra ronda a la salud de Mary. Espero que dé mejor resultado que la que pagué a la de mi exnovia.

En lugar de subir a la sala, Juan cogió su maletín y se fue a ver a la viejecita de la Casa de Viudas.

Al entrar en el patio, le recibió una celadora nueva que de inmediato le dijo:

—Viene a ver a Adelina, ¿verdad doctor? Está la mar de bien.

La viejecita se había levantado y le esperaba sentada en una butaca de brazos, a su medida.

Al verle sonrió. Sus ojos se convirtieron en dos ranuras y su boca en una desdentada cueva. Se remangó un brazo.

—Es la última inyección de Cedilanid que la tengo que poner. A partir de ahora, tomará la digital en gotas. Desde hoy vendré cada tres días para controlar cómo está. Por cierto —dijo dirigiéndose a la celadora—. Comerá sin sal, ¿no?

—Dada la edad de los asilados, aquí toda la comida es sin sal. Por cierto, ¿querría ver a otra abuelilla que ha tenido mucha fiebre anoche?

Y así es como Juan se vio nombrado médico de la Casa de Viudas, sin sueldo.

Dos o tres días después de su escapatoria con Tony, se encontró Mary a Rosa la mujer del alcalde, que luego de besarla efusivamente dijo:

—Tu prudencia te salvó muchacha. Tony González destrozó el deportivo en aquella vuelta de Sevilla. Tengo algunos remordimientos. Mi marido y yo os invitamos a aquella botella de *champagne*.

—No le remuerda la conciencia, Rosa. Después del *champagne* se tomó una copa de pacharán, que yo viera, más lo que cayera luego.

—Venía una foto del coche en el *Diario de Cádiz*. A él no le ocurrió gran cosa, pero tal y como quedó el lado del copiloto, hubieras muerto, Mary.

Mary palideció y sintió un escalofrío.

—Anda, guapa. Vamos a tomar un café que te recuperes.

Sin saber por qué, Mary tuvo la premonición de que la muerte la rondaba. Era como si la luz hubiese perdido color, los sonidos timbre, las relaciones calidez... Era como si un gran abejorro girase alrededor de ella, esperando picarla.

—Estás pálida. No te lo tomes así. Basta con que tengas cuidado con quién vas. Ese Tony es un botarate con dinero. ¡Camarero!, dos cafés con leche.

XXII.

La vuelta de Emilia

—Emilia va a volver —comentó Carmen a Mary cuando aquella noche, después de haber pasado la tarde con Juan volvió a casa.

Mary quedó en silencio, valorando las perspectivas de aquella nueva situación. Al cabo de un largo minuto, preguntó:

—¿Cómo lo sabes?

—Me ha escrito una carta preguntándome si puede volver a alojarse en esta casa. Su padre murió y ella no se lleva demasiado bien con su madre. Ha pedido el reingreso en el magisterio. Como no ha estado en la excedencia más que unas semanas, volverá a su plaza.

—Bueno. Que venga. La que más pueda se llevará el gato al agua —contestó Mary.

—Yo no tengo dudas sobre quién es la que más puede — dijo Carmen—, pero recuerda que le facilitamos al gato[18] que se acostara con ella. Probablemente fue su primer gato y eso pesa mucho. ¿Estás conforme con que vuelva a vivir con nosotras?

—De acuerdo. Y gracias por preguntármelo.

—¿Se lo vas a decir a Juan?

---

18. Gato: natural de Madrid.

—Claro.

—Según la carta con que plantó a Juan, no creo que tengas ningún problema —aseguró Carmen.

Últimamente Mary había adquirido la costumbre de mirar, en el taco del calendario que tenían colgado en la cocina (El del Mensajero Cristiano) los santos del día. Al intentar volver un poco la hoja del domingo, para leer el dorso, se desprendió del taco. En la hoja del lunes 20, entre los casi veinte santos registrados estaba «Adelina, abadesa».

Se acordó de la viejecita de la Casa de Viudas. Era domingo. Sin saber exactamente por qué, sintió deseos de hablar con ella. Tenía la sensación de que la anciana se había callado algo cuando estuvo en el asilo. Además, a lo mejor podía convencer a Juan para ir a misa a la catedral.

Apasionada como era, se arregló y sin despedirse de Carmen, que seguía durmiendo, cogió el primer Adriano[19] que salía para Cádiz.

Se situó en la proa de la nave. Un viento sur, que olía a algas, rizaba el agua de la bahía. Unos muchachos intentaron pegar hebra con ella, pero una sola mirada le bastó para que comentaran: «¡Qué antipática!» y la dejaran en paz. Llegó al hospital pasadas las diez.

Antonio, el portero, sonrió al verla.

—Se levanta temprano. Debe estar en la sala. ¿Quiere subir?

—No. Le esperaré aquí

—¿Quiere el *ABC* de Sevilla? —le ofreció Antonio—. Es el de hoy. Siéntese aquí —dijo sacando un sillón de mimbre que tenía en su garita—. Estará más cómoda que en esos bancos.

---

19. Serie de pequeños transbordadores que hacían el trayecto Puerto de Sta. María – Cádiz.

Mary hojeó el periódico, por no dejar mal al portero.

En la portada había una fotografía de Franco tendiendo la mano al príncipe, tomada en un ángulo raro para no destacar que Franco podía llegarle al príncipe a la cintura. Era un acto de Celebración del V Centenario de la boda de los Reyes Católicos. «Ha entrado en crisis la Organización del Mercado Común». Artículos sobre el Domund. Un anuncio de una película llamada *La Muerte no tiene sexo* decía que la película tenía «una carga erótica en un film de impresionante belleza».

El título del artículo de primera plana atrajo su atención: «Adolescencia sin luz» del psiquiatra Juan José López Ibor. Se sintió aludida.

Algunos párrafos parecían escritos directamente para ella:

«Lo que me preocupaba era la encarnación de ese problema que arde con llamaradas incesantes y peligrosas en el momento actual: el de la maduración de los adolescentes».

«En una sociedad estabilizada la maduración se hace también lenta y seguramente. No ocurre así en una sociedad en fulgurante cambio como la nuestra».

«Y ahora una pregunta final, ¿en qué consiste la maduración?».

«Madurar es aceptar la existencia del mal, la imperfección de la vida».

«Es aceptar que existe la alienación del hombre; enfermedad, pobreza, mal moral, etc. etc.».

El artículo la dejó meditabunda. «Madurar es aceptar», se dijo. Aceptar que su vida se había movido en la inconsciencia infantil de lo que es el mal. Juan había sido una especie de fermento que había despertado su conciencia.

Estaba tan absorta que solo se dio cuenta de que Juan estaba junto a ella cuando este se sentó en el banco que había al lado.

—Esto de que los domingos vengas a sacarme de la cama es agradable —dijo dándole un beso en la frente.

—Tengo que decirte una cosa.

—Bueno. Suéltala. Sea lo que sea prometo no darte una bofetada —contestó Juan cogiéndole una mano.

—En dos o tres días Emilia estará en el Puerto. Ha pedido el reingreso en su vacante. Su padre ha muerto.

Juan notó la tensa expectación con que Mary le contemplaba.

—Bueno, ¿y en qué nos influye eso? La que se fue a Sevilla perdió su silla —dijo Juan dando por cerrado el tema.

—Si tú lo ves así... Yo no lo veo tan sencillo. Otra cosa, mañana es el santo de Adelina, tu enferma de la Casa de Viudas.

—Mañana tengo el día muy apretado. Iré a verla ahora, si no te molesta. Tengo que ver allí a dos viejecitas más. Adelina no creas que vaya a vivir mucho. En esa casa practico una medicina primitiva; para saber el tamaño del corazón tuve que hacerlo por percusión. Lo tiene como una garrafa. Podría llevarme un electrocardiografo portátil del hospital, pero no quiero que digan que abuso. —Luego se dirigió a Antonio—. Llama a Manolo, el sanitario, dile que baje mi maletín que está en la sala y que vamos a la Casa de Viudas.

La celadora les dijo:

—Me alegro de que haya venido ahora, don Juan. Está el señor ecónomo y querrá verle.

El ecónomo, con su sotana negra llena de brillos por el uso, administrador de los bienes de la diócesis, dio la mano a Juan. Cuando intentó dársela a Mary, esta, recordando los tiempos del colegio de monjas, hizo una semirreverencia y se la besó.

—Don Juan, el señor obispo sabe que usted atiende a las residentes que no tienen seguridad social. No le podemos pagar un sueldo, esta es una institución benéfica, pero me pregunto si le gustaría que le hiciéramos un nombramiento honorífico.

—Pues sí —contestó Juan—, sí que me gustaría. Ser el médico de una fundación creada en 1756 tiene su encanto.

—Ya pensaré en algo como un diploma o algo así. En cuanto a los medicamentos que necesite, deje usted una receta y el obispado los comprará. No se hará usted rico asistiendo a las residentes, lo siento.

—No me importa demasiado el dinero —dijo Juan—. Voy a ver a Adelina.

Adelina estaba sentada en su sillón como una reina en su trono. El sanitario y Mary se quedaron en el pasillo, pero en cuanto la anciana vio a Mary, la obligó a entrar y a sentarse a su lado en una sillita baja. Cuando Juan terminó de auscultarla y tomarle el pulso dijo:

—Bueno, voy a ver a las demás. Me ha dicho Mary que mañana es su santo. ¿Qué le gustaría que le regalaran?

—No necesito nada. En un tiempo hubiera deseado tener una radio de estas pequeñas, pero ya me da igual. Deje a Mary conmigo mientras ve a las otras viejas.

Cuando salió Juan, Adelina cogió las dos manos de Mary, de modo que las dos mujeres quedaron mirándose frente a frente. En la arrugada cara de la anciana, los ojos hundidos en las cuencas eran como dos carbunclos encendidos. Clavó su mirada en los de la muchacha, ahora de color verde mar.

Mary se sintió atrapada por los ojos de Adelina. Un anillo blanco, como de porcelana, circundaba el iris marrón. La soleada habitación desapareció en una oscuridad extraña. Entonces la anciana dijo:

—Pronto haremos el gran viaje. Lo haremos juntas. Yo te guiaré. Estate preparada. Pon tu alma en paz.

Mary sintió vértigo. Sintió como si volteara en un espacio completamente negro. Como si se hubiera caído de un vehículo en plena marcha y diera volteretas sobre una mullida superficie. Cuando se recuperó, vio que Adelina parecía dormida, los ojos cerrados, apoyada en el respaldo del sillón. La muchacha tenía un nudo en la garganta. Sentía que se ahogaba. Los ojos se la llenaron de lágrimas. Salió de la habitación. El soldado le preguntó:

—¿Qué le pasa, señorita?

—Nada. Estoy bien.

En aquel momento, Juan salía de una de las habitaciones. Entregó su maletín al soldado y le dijo que volviera al hospital. Observó que Adelina dormía apaciblemente en su sillón.

—¿Qué te pasa? —preguntó a Mary, que estaba muy pálida y respiraba rápida y superficialmente—. ¡Siéntate! ¡Celadora, tráigame una bolsa de papel, de plástico, de lo que sea!

La celadora entró en una habitación y salió con una bolsa de plástico de la que sacó las agujas, la lana y un jersey de punto que una anciana estaba tejiendo. Mary estaba temblorosa y respiraba de modo anhelante.

—Sujétemela. Vamos a sentarla —dijo Juan, y colocó la bolsa ante la boca y la nariz de Mary, obligándola a respirar en ella. Poco a poco, fue cediendo la disnea de la muchacha y recuperando la normalidad.

—¿Qué le pasa? —preguntó la celadora.

—Parece un ataque agudo de ansiedad. Lo que no sé es la causa —diagnosticó Juan.

—¿Quiere que la echemos en una habitación vacía? Aquí a lado hay una.

—No... No... No hace falta. Ya me estoy recuperando —dijo Mary.

Juan la pasó un brazo tras las rodillas y la espalda, la llevó en brazos a la habitación vacía y la tendió en la cama. La celadora le quitó los zapatos y le echó por encima la colcha que había retirado. Juan se sentó a su lado y la cogió una mano.

—¿Qué te ha pasado? ¿Qué te ha asustado? —preguntó inquieto.

—No sé —mintió Mary—, me he mareado. Me habrá sentado mal el desayuno.

Volvió la celadora con un vaso de agua.

—Beba. Parece que se le ha pasado. Estas muchachas, con sus dietas para tener un tipo como el que tiene, luego van y se marean.

—Ya estoy bien. Vámonos, Juan. Por favor —A pesar de las protestas de los dos, se puso en pie y se arregló el vestido—. Juan, vamos a misa, vamos a la parroquia de Nuestra Señora del Carmen, que está aquí atrás, en la Alameda.

—Espérame aquí. Voy por el coche.

Cuando salieron de misa, Juan propuso:

—¿Te parece bien que vayamos al Romerijo a comer langostinos y beber cerveza?

—Sí. Vamos al Puerto.

En el coche se apoyó en el reposacabezas y cerró los ojos. ¿Era posible que, cuando empezaba a entender la vida, «cuando había aceptado la existencia del mal» y había decidido huir de él, Dios decidiera no darle más tiempo? Tendría que intentar olvidar la predicción de Adelina. «Pronto haremos el gran viaje».

Juan puso una mano en el muslo de Mary. Esta despertó sobresaltada.

—Mary, hemos llegado. Estamos en el aparcamiento. ¿Estás bien?

—Sí.

Anduvieron por el Parque Calderón hasta llegar a los coches de choque, los caballitos y el Romerijo. El último estaba lleno. Iban a renunciar cuando desde una mesa les hicieron señas. En ella estaban Eduardo, Carmen y... Emilia.

Un camarero les trajo un par de sillas.

—Emilia acaba de bajarse del tren, no hace ni una hora —dijo Carmen—. Por no dejarla sola en casa nos la hemos traído.

Las miradas entre Emilia, Mary y Juan se cruzaban como la pelota de celuloide en una partida de ping pong de dobles.

Carmen ya la había puesto al día sobre el noviazgo de Mary y Juan, no sin recordarle lo que le dijo cuando se fue: «Estás en un momento crítico...».

Emilia descubrió que Mary era mucho más bella de lo que la recordaba y Juan más moreno y mayor. Juan, por contraste con Mary, sintió que Emilia era una mujer poco llamativa, pero con una belleza lánguida, como de orquídea blanca.

—Si quieres tu antiguo cuarto, saco mis cosas de él —ofreció Mary.

—No. Estás bien donde estás. Te encuentro muy cambiada Mary. Antes no vestías ni te arreglabas así.

—Juan me ha cambiado —contestó, cogiendo una mano de Juan como confirmando su propiedad.

Juan le levantó la mano y la besó en el dorso.

—Veo que no has encadenado a Mary con un anillo —dijo reticente Emilia.

—He visto que eso da mal resultado. Vamos a por unos langostinos —sugirió Juan Antes de que la cosa fuera a más.

XXIII.

Profecías de la anciana

Emilia se despertó luego de una noche llena de pesadillas. Tardó un tiempo en recordar que ya no estaba en Madrid. Recordó el turno de cuarto de baño que tenían establecido por las mañanas, puesto que todas entraban en el colegio a la misma hora.

Veinte minutos cada una para arreglarse. Tres turnos: ocho y diez a ocho y media. Ocho menos diez a ocho y diez. Siete y media a ocho menos diez. Eran las ocho menos cuarto y su turno era el segundo.

Se levantó. No había nadie despierto en la casa, por lo que se metió en el cuarto de baño.

Cuando salió, se encontró en la cocina a Carmen, que había hecho dos desayunos.

—¿Y María? —preguntó Emilia.

—Es una fuente de continuas sorpresas. Anoche entró en mi cuarto cuando yo estaba ya acostada y me dijo que a partir de ahora se iba a levantar a las siete y cuarto, para poder ir a misa de ocho a la iglesia de los Carmelitas.

—Nunca he visto a una persona que cambie tanto en tan poco tiempo —comentó Emilia—. Yo he sido novia de Juan unos meses y no me pareció un individuo muy religioso. Creí que era agnóstico.

—Yo tengo una enorme curiosidad por saber en qué termina Mary. Está subiendo la escalera de Jacob, por la cual los ángeles suben y bajan del cielo. Juan la elevó al primer peldaño. Algo le ha hecho subir ahora el segundo.

—No pierdas las esperanzas, sé que, a pesar de todo, a ti Juan te va. Yo creo que los peldaños que sube María no la llevarán a casarse con Juan, sino a un convento de clausura. No es un final raro en mujeres tan bellas. Para ellas no es verdad aquel dicho de lo que es una beata: «Una mujer que se casa con Dios porque no hay dios que se case con ella».

—Supongo que las mujeres muy bellas deben sentirse hastiadas de ser asediadas, de oír procacidades, de sentir el pegajoso deseo de los hombres.

—Ojalá aciertes —suspiró Emilia.

—¿Pero tú no tenías un maestrito que...?

—Me he enterado de que cuando me fui a Madrid se lio con una compañera de párvulos. Esperaré a que Mary suba todos los peldaños de su escalera y me deje libre a Juan para intentarlo otra vez. Anda, vámonos.

Camino del colegio, cerca ya, Carmen tuvo una corazonada.

—Ven un momento. —Y la arrastró hasta el interior de una cafetería cercana al colegio.

Efectivamente, allí estaba Mary tomándose un café con leche con una tostada.

—Eres demasiado lista —dijo Mary, sorprendida *in fraganti*.

—¿Qué ocurre? —preguntó Emilia.

—Nada. Que ha subido otro peldaño —contestó Carmen—. No le queda más que otro. Si desayuna después de oír misa es que es de comunión diaria.

También Juan se dio cuenta del cambio experimentado por Mary. Había adelgazado y lo afrontaba todo con una especie de desgana. Cuando se puso a analizar la situación, tuvo claro que el cambio más brusco se había producido a partir del episodio de ansiedad que tuvo en la Casa de las Viudas. Nunca tuvo claro cuál había sido la causa y no era fácil preguntárselo pasadas tres semanas.

En su última visita le preguntó a Adelina de qué habían hablado aquella vez. La anciana, que estaba otra vez hinchada y disneica no contestó a su pregunta. Simplemente dijo:

—Ya me queda poco, doctor. Y ahora no me salva ni su dedalera.

La celadora dijo

—No quiere comer. Solo toma algún potito de bebé.

Aquel domingo, Juan se levantó esperando que Mary viniese a Cádiz, pero no lo hizo.

Antonio le dijo al verlo:

—Lástima. Esta mañana no ha venido la señorita Mary. No se enfade, pero me gusta contemplarla.

—Está muy rara últimamente —meditó Juan en voz alta—. Vamos a llamarla.

—Dígame el número para marcarlo en la centralilla —dijo Antonio dándole el teléfono.

Se puso Emilia.

—Por favor, dile a Mary que se ponga.

—No está. Creo que se ha ido a ver a su madre.

—Creí que no se trataban —dijo sorprendido Juan.

—Parece que últimamente sí.

—Dile si la ves que iré por ella esta tarde sobre las seis.

—Está bien.

Últimamente Mary solía vestir con un traje de chaqueta y pantalones grises de espiguilla, una camisa blanca de encaje y unas bailarinas negras. El pelo se lo recogía en un moño y no se pintaba absolutamente nada.

Así estaba aquella tarde, esperando a Juan.

—¿A dónde quieres que vayamos? —preguntó este.

—¿Al parador de Arcos te parece bien?

—Vale.

Sentados en la terraza del parador, ante una naranjada y un coñac, Juan preguntó:

—Mary, estás cambiando muy rápidamente. No te sigo ni puedo suponer a dónde irás a parar.

—Estoy madurando. Hace poco leí que madurar es aceptar la existencia del mal. Primero acepté la existencia del mal en el mundo. Ya sabes, niños con la boca rodeada de moscas y la tripa hinchada que se mueren de hambre, muertos amontonados en estercoleros, niñas pintadas, prostituidas en capitales de Oriente o de Hispanoamérica...

—Pero podemos hacer muy poco para remediar eso —meditó Juan—. Hay oenegés que se preocupan por ello, pero pronto se transforman en acartonados organismos llenos de funcionarios con buenos sueldos y Land Rover 4x4.

—Luego me preocupó el mal que yo he hecho. Los hombres a los que yo he corrompido, a los que me entregado y luego abandonado. Algunos solo eran muchachos encandilados por mi belleza.

—¿Tantos han sido? —preguntó Juan escocido.

—Muchos. Demasiados. Finalmente —continuó—, finalmente, el mal que hay en mí. El origen de mi conducta. Aquello que estudiamos en la normal del «salvaje bueno» de Rousseau es mentira. Todos somos salvajes, pero malos.

—Y en ese esquema, ¿qué lugar ocupo yo?

—No lo sé. Tal vez el de motor de arranque, porque me arrancaste de una vida estúpida —dijo María riendo.

—Y ahora que estás en marcha no me necesitas a menos que te pares otra vez, ¿no? —argumentó Juan.

Mary se levantó y se acodó en la barandilla. Estuvo mucho tiempo contemplando el paisaje. Luego volvió a la mesa y dijo:

—Vámonos, Juan. Hace fresco.

La dejó en el portal de su casa. Ella se dejó dar un corto beso. Juan se fue con sensación de despedida, de que Mary se alejaba de él.

Comenzó una espesa semana para Juan. La actitud de Mary le amargaba y más aún no saber cuál era el final del camino que había emprendido.

La incorporación de un reemplazo al CIR trajo consigo una remesa de reclutas. A aquellos cuyas alegaciones no habían sido admitidas en la Caja de Reclutas, que habían sido aconsejados por los veteranos al llegar al cuartel o bien a los que sus tenientes o capitanes habían incluido en el capítulo de «Rraros» al verlos evolucionar en la instrucción. Se pasaba el día haciendo historias y pensando cabreado en Mary.

Sor Gabriela había vuelto, lo cual era una considerable ayuda.

Además, como ocurre frecuentemente en Cádiz, había comenzado el mes de noviembre lloviendo, y no parecía querer dejarlo.

Unos días después de haber estado con Mary en Arcos, le llamaron de la Casa de Viudas. Adelina estaba agonizando.

Cuando la vio, salió de la habitación y dijo:

—Mañana vendré, pero si muere esta tarde o esta noche, que me avisen. Compren el certificado.

Serían las siete de la tarde cuando le llamaron. Estaba en la sala haciendo historias. «Esto es que Adelina ha muerto», se dijo.

Sor Gabriela estaba en el antedespacho zurciendo pañitos de la Capilla.

Cogió él mismo el teléfono. Se sorprendió un poco, era Carmen.

—¿Qué pasa, Carmen?

De sopetón Carmen le soltó:

—Fran el quinqui ha matado a Mary.

Sor Gabriela vio a Juan palidecer, bambolearse como si se fuera a ir al suelo y finalmente caer en una silla y apoyar los codos en la mesa. Colgó el teléfono bruscamente como si con ello rechazase la noticia.

—¡Don Juan! ¡Don Juan! ¿Qué le ocurre?

Juan apoyó los codos en las rodillas y las manos en la cara. Al cabo de unos minutos en los cuales sor Gabriela le acercó un vaso de agua y se quedó mirándole, exclamó:

—Han asesinado a mi novia.

Sor Gabriela no dijo nada. Aunque seguramente no conocía la frase de Séneca «a un gran dolor no hay que añadirle palabras» se limitó a poner una mano en el hombro de Juan.

Al cabo de unos minutos, Juan murmuró:

—Me voy al Puerto.

—Don Juan, que le lleve el chófer del coronel. Voy a llamar a Antonio, el portero, para que lo busque.

Al llegar al Puerto, el chófer aparcó detrás de un coche de la Policía, ante el portal de las maestras.

Juan subió las escaleras. En el suelo del descansillo del primer piso había un charco de sangre que iba empapando una capa de serrín que esparcía la portera, como si estuviera sembrando trigo.

En el piso de las maestras estaba la Policía.

—Es el novio de Mary —explicó Carmen , es médico.

—¿Dónde está ella? —preguntó Juan sintiendo que el mundo se hundía a su alrededor.

—Esta en su cuarto, en la cama.

Juan entró en el cuarto. La anemia había convertido el cadáver de Mary en una bella estatua de mármol. Una pashmina azul le rodeaba el cuello; el quinqui la había degollado. Sintiendo un dolor físico que casi le paralizaba, Juan cubrió el rostro con la colcha que le habían puesto por encima. Salió de la habitación. Se sentó.

Un policía le interrogó:

—Siento molestarle. Estas señoritas me han dicho que usted sabe dónde vive el asesino.

—Si el asesino es el quinqui que nos visitó hace poco y la amenazó, Francisco Romero, vive en Cádiz, en el Hostal Imar.

El policía llamó por teléfono a la Comisaría de Cádiz.

—¿Habéis llamado a su madre? —preguntó Juan a Carmen.

—Dice que irá al cementerio.

Poco después llegaron el juez de guardia y dos empleados para trasladarla al depósito.

—Hay que hacerle la autopsia, aunque la causa de la muerte esté tan clara —dijo el juez.

Estuvo sentado un rato en el distribuidor con la mirada perdida. El juez, luego de autorizar el levantamiento del cadáver, le puso una mano en el hombro y se fue. Tras un tiempo, Juan murmuró:

—Carmen. Emilia. Aquí ya no tengo nada que hacer. Tengo un soldado abajo, de chófer, esperando. Si no necesitáis nada, me voy a Cádiz.

Bajó las escaleras. En el primer piso la portera había recogido el serrín y lo había metido en una bolsa de basura grande y negra. El soldado le miró al salir a la calle con una expresión triste. Juan le dijo con un gesto con la cabeza:

—¡Vámonos!

Pero el día no había terminado para él.

A las doce de la noche, cuando llegó al hospital, el vigilante nocturno le dijo que le habían llamado varias veces de la Casa de Viudas.

Cruzó la plaza de Fragela y llamó con el aldabón de bronce, que retumbó en toda la casa. Se abrió una mirilla. En cuanto le vieron, le abrieron la puerta.

—Doña Adelina se ha muerto esta tarde, ¿le hará usted el certificado?

—Sí, Claro. Tengo que verla.

Envuelta en una sábana de la que solo asomaba la pálida cara y las manos, unidas por un rosario de gruesas cuentas. La sábana prendida con imperdibles. El cadáver estaba amortajado por manos profesionales. Eso le había faltado a Mary. Se quitó de la cabeza la imagen de la bolsa de la basura llena con el serrín empapado en sangre de Mary. La viejecita parecía una crisálida en su capullo. Por asociación de ideas pensó en Mary. Si también era una crisálida, de ella saldría una maravillosa mariposa. «Estoy delirando», se dijo.

—Que me lleven mañana temprano el Certificado de Defunción y su DNI y se lo firmaré —dijo a la celadora.

Cuando los policías de la Comisaría de Policía de las Puertas de Tierra de Cádiz llegaron ante la puerta de la habitación de Francisco Romero, se encontraron con que estaba entornada.

Sacaron las pistolas y la empujaron, encontrándose con que Fran estaba sentado un sillón, enfrentado a la puerta, con un whisky en la mano.

Sonriente les dijo:

—Pasen, pasen. Les esperaba. En un momento de pasión he matado a mi amante, que me la estaba pegando con otro.

Los agentes revisaron la habitación. Solo encontraron una navaja de resorte.

Lo pusieron en pie y lo esposaron.

—Me he quedado muy a gusto. Le daré un poco de trabajo a mi abogado, que hará que esté en la calle en dos o tres años. Crimen pasional. No ha habido alevosía, ensañamiento o nocturnidad, solo desprecio de sexo. Así aprenderá el gilipollas estirado que se la beneficiaba que conmigo no se juega. A lo mejor si no hubiera hecho el numerito de sacarme de casa de mi amante a punta de pistola no la hubiera matado.

—Cállate ya, estúpido —le ordenó uno de los agentes que le empujaban escaleras abajo.

—Tres años como mucho. Y mis negocios puedo dirigirlos desde la cárcel.

XXIV

Saltaparapetos

Cuando finalmente se acostó, Juan permaneció despierto pensando en las circunstancias que le habían llevado a Cádiz, al Hospital Militar, a conocer a Mary y a perderla.

La única manera de reflejar los días siguientes es ver ese tiempo desde dentro del propio Juan. Las semanas que siguieron fueron lo que Juan denominó, imitando a San Juan de la Cruz, «La Noche oscura del alma».

Afortunadamente, Juan reflejaba más o menos asiduamente sus pensamientos en un diario. A él vamos a recurrir para continuar nuestro relato.

«20 de noviembre de 1969:

Pedí permiso al director y me fui al Puerto al entierro de Mary. Había bastante gente. Carmen, Emilia, otras maestras del colegio y Eduardo. Algunos muchachos, entre los cuales reconocí a los de aquel día en la playa. De unos desconocidos de mediana edad me dijeron que eran el alcalde del Puerto y su mujer. Su madre acompañada de lo que supongo eran familiares. Unas treinta personas en total. Mary tenía una póliza de una funeraria, recientemente contratada por ella, que encontró Carmen entre sus papeles. En la misma carpeta encontró también una nota, dirigida a ella, en que expresaba su deseo de que la incineraran.

Todo daba la impresión de que Mary tenía la premonición de que iba a morir pronto.

La funeraria nos avisó de que la incineración tendría lugar en el Cementerio de San Roque, junto a Puerto Real, a unos 5 km del Puerto de Santa María. La madre de Mary, Carmen y Emilia vinieron en mi coche.

Lo de ver a Mary convertida en humo y cenizas fue demasiado fuerte. Un nudo en la garanta me apretaba, haciéndome hablar ronco. Sus sicalípticas formas acudían a mi memoria sin que pudiera expulsarlas de ella. Ahora todo era humo

A la madre le entregaron al final del acto el clásico recipiente con cenizas.

La madre (ello ayuda a comprender la trayectoria vital de la hija), que era una mujer que aún conservaba rasgos de belleza, era una inconsciente. Algo como debió ser Mary hasta que yo la conocí. Antes de entrar en el coche nos dijo, mostrándonos la urna con las cenizas de su hija;

—¿Y qué hago yo ahora con esto?

—Mire, señora —le dije yo irritado—, antes que utilice las cenizas para limpiar cuchillos, le sugiero que las esparzamos desde un sitio que a su hija le gustaba mucho, el balcón de la plaza de arriba de Arcos.

Fuimos Carmen, Emilia, la madre de Mary, Eduardo el teniente y yo en el 1430, algo apretados. Era un día bastante turbio. Una espesa capa de nubes grises parecía enganchada en el cuadrado campanario de la Iglesia de Santa María. Hacía un frío vientecillo de poniente.

La madre me dio la urna llorando. Inclinándome sobre el abismo la destapé y volviéndola, con un movimiento suavemente ondulante la vacié. La gris ceniza, en lugar de caer hacia el río Granados, ascendió hacia las nubes, expandiéndose como una bandada de pájaros. Sentí un intenso dolor.

Carmen dijo llorando:

—Se acabó, Mary.

Carmen y Emilia me miraron con agradecimiento».

«24 de noviembre de 1969:

El trabajo se me hace una pesada carga, pero afortunadamente han destinado al hospital un alférez médico de milicias. Un muchacho delgado, de rasgos afilados, que ha hecho la carrera en Sevilla.

El teniente coronel, inmediatamente, quiso que se lo asignaran, más que nada por ese deseo de aumentar el personal que tienes bajo tu mando. Tuvimos un encontronazo más en el despacho del director, el teniente coronel, alegando que él era teniente coronel y yo capitán, y yo diciendo que estaba aburrido de hacer historias en tanto que a él se las hacía un eficiente teniente practicante que tiene asignado. El director resolvió la situación de una manera salomónica; llamó al alférez y le preguntó:

¿Tú adonde quieres ir, a medicina o a cirugía?

El muchacho contestó:

—A medicina.

El director dijo:

—Asunto zanjado.

Sor Gabriela, que me va conociendo demasiado, me dijo como sin venir a cuento: «Si usted tuviera suficiente fe pensaría que María está en el cielo y sufriría menos».

«30 de noviembre de 1969:

Este alférez, Domingo Arribas, es un individuo inquieto, que se dedica a investigar los entresijos del hospital.

Un día me preguntó: "¿Qué hay detrás de esta puertecita?". Ante una que había en una esquina del patio. Luego de preguntar a todo el mundo, finalmente sor Encarna recordó dónde estaba la llave.

Un aire que olía a humedad, a sitio cerrado nos envolvió al abrirla.

Era una pequeña habitación pintada de negro mate, sin ninguna ventana. En la pared de enfrente había una tabla de optotipos. Al accionar un interruptor que había en el marco se iluminaron la tabla y la habitación. En una mesita auxiliar había una caja con una colección de lentes y una montura de gafas para probarlas. Las lentes, doscientas o más, estaban montadas sobre un anillo de cobre que tenía una plaquita con un número, para cogerlas. Sor Encarna recordó que cuando ella era joven había una consulta de oftalmología en el hospital.

—Este hospital tenía muchas cosas que ahora no tiene —murmuró la monja.

El alférez descubrió otro pequeño almacenillo que no había sido abierto hacía años, en el mismo patio.

Consultada la imprescindible sor, dijo que le parecía que se abría con la misma llave. Efectivamente, así era.

Abierta la puertecita, que obligaba a agacharse para entrar, en el pequeño recinto solo había un considerable montón de unos paquetitos del tamaño de los de jabón que ponen en los hoteles.

Cogí uno de aquellos paquetitos. El envoltorio era de papel encerado morado. Tenían una banda amarillenta con una inscripción en árabe.

Solo el coronel, don Justo, pudo aclararnos qué era aquello. Sonrió al verlo.

—Si hubieseis hecho como yo la guerra sabríais qué es eso. Eso es hachís. Cuando había que tomar una loma o una trinchera a los legionarios les daban una botella de coñac Saltaparapetos y a los regulares moros una dosis de grifa para que se la fumaran. ¿Hay muchos paquetes en el sitio de donde habéis sacado eso?

Yo le dije que había un gran montón y me ordenó que con una cuidadosa vigilancia lo quemara en el patio de atrás. Me hizo responsable de que ninguno de aquellos paquetitos cayera en manos de los soldados.

—Aunque esa grifa tenga cuarenta años es fumable, así que quémela y nos evitaremos montañas de papeleo.

Le dije al alférez que para evitar "distracciones" la quema la haríamos entre él y yo. Llevamos los paquetitos al patio de atrás en una carretilla y los amontonamos haciendo una pirámide. La regamos con gasolina y les prendimos fuego. Los de la oficina acudieron atraídos por el olor.

—¡Qué lástima! ¡Qué desperdicio! —dijo Paco al ver la hoguera que ardía alegremente esparciendo un olor dulzón, balsámico.

Tuve que hacer que todo el mundo se alejara, incluso las monjas, para evitar una orgía causada por la inhalación de aquel humo.

No pude evitar que el humo, ascendiendo al cielo me recordara a Mary. Creo que ella nunca había estado en este salvaje jardín botánico».

«10 de diciembre de 1969:

Lentamente van pasando estos días de plomo. Cuando me viene a la mente la imagen de Mary siento una mezcla de dolor y de rabia. Me sentía, en buena parte, culpable de su muerte.

Así, viendo en perspectiva su evolución, llegué a la consecuencia de que era poco probable que hubiésemos terminado casándonos, más teniendo en cuenta los informes que habría dado el Estado mayor sobre su ella y su familia.

No puedo quitarme de la cabeza la sensación de que ella, a partir de aquel ataque de ansiedad en la Casa de las Viudas, sabía que iba a morir pronto.

Ayer me fui dando un paseo hasta la plaza de San Juan y entré en La Camelia a tomarme un café. Me encontré a Carmen y a Eduardo muy amartelados. Me hicieron señas para que me sentara con ellos.

Carmen me dijo que tenía muchas ganas de verme.

—Juan, me figuro lo que estás pasando. A lo mejor me dices que soy una manipuladora, pero Emilia continúa enamorada de ti. Con Mary has cumplido una misión. No sé hasta qué punto has influido tú en su cambio. Parece que fuiste una especie de levadura que la transformó. Pero eso se ha acabado. Además, tú sabes que le debes algo a Emilia.

Quiere que quede un día con ella.

La idea, que al principio me pareció absurda, poco a poco ha ido calando en mí. ¿Por qué no? Era una muchacha de vida honesta y buena familia y, además, como había señalado Carmen, yo tenía una deuda con ella. Sin embargo, una pereza inmensa me hacía muy difícil tomar decisiones de ese tipo».

«26 de diciembre de 1969:

El 23 por la mañana me llamó Carmen al hospital. Me dijo que había decidido organizar una cena de Nochebuena en su casa:

—Seremos Emilia, Eduardo, yo y me gustaría que tú y tu alférez vinieseis. También he invitado a una compañera del colegio que está sola en el Puerto. Total media docena de personas.

No me costó demasiado decirle que sí. Pasarme la Nochebuena como en una ocasión la había pasado solo, contemplando el mar y bebiendo whisky me parecía quizás muy romántico, pero insoportable. Tampoco me costó mucho convencer a Domingo.

Nos fuimos en mi coche. Al subir las escaleras de la casa y ver el oscuro suelo del descansillo del primer piso, sentí una especie de mareo al recordarlo lleno de serrín ensangrentado.

Emilia no pudo disimular su alegría al verme. Estaba bella: se había arreglado especialmente para la ocasión. ¿La habría maquillado Carmen o había ido a una profesional? Tenía el pelo mucho más largo de lo que yo la recordaba y estaba más delgada. Más estilizada, diría yo.

La otra maestra, Margarita, era una rubia bastante vistosa.

Carmen, al verme, me abrazó con inusitada ternura. Pienso que yo me equivocaba al considerarla una manipuladora. En realidad, era una excelente persona. Debía haber dado la norma de que nadie mencionase a Mary en aquella cena.

Observé que el alférez enseguida se sintió atraído por Emilia, lo cual, por un lado me hizo gracia y, por otro lado, despertó en mí un rescoldo de celos.

Rápidamente me di cuenta de que Carmen se preocupaba de que las cosas no se apartasen de sus planes. Obligó al alférez a ocuparse de la rubia. Emilia, con una cierta timidez se acercó a mí sentándose en el sofá en el que yo estaba.

Su indudable encanto, tan diferente al de Mary, me aprisionó otra vez. Pensé: "Mary era como una rosa roja o un clavel, Emilia es una blanca orquídea. ¡Qué cursiladas se me ocurren!".

Estuvimos recordando nuestros viajes por los pueblos de Cádiz.

Sé que ambos teníamos en la mente el recuerdo de aquella tarde en su cuarto, pero ninguno lo mencionamos.

Todos se fueron animando, con el vino al principio y el *champagne* después.

Como yo tenía que volver a Cádiz conduciendo, no bebí alcohol, lo que me permitió ver la transformación de los comensales según el grado de alcoholemia.

Sobre las tres le dije a Emilia que me iba, y que si quería que quedáramos para el día siguiente.

Es una muchacha sin doblez. Me contestó que nunca había deseado nada tanto.

Cuando le dije al alférez que nos íbamos a Cádiz, dijo que aquella noche se quedaba en el Puerto. Carmen y Eduardo habían desaparecido. Emilia me dijo que me acompañaba hasta el coche.

Grupos de amigos con variados niveles de alcoholemia exhibían sus escasas dotes para el canto.

Sobre el espectacular panorama de la ría, de un aterciopelado negro en el que las luces de la autopista de enfrente producían temblorosos reflejos, le di un beso. Sentí que el recuerdo de Mary soltaba amarras y se alejaba aguas abajo hacia el mar.

Emilia me dijo: "¡Vete ya!". Me volvió la espalda y se apoyó en el pretil del muelle. Contemplé su figura temblorosa. Estaba llorando. Estuvimos un rato abrazados.

A la entrada de Cádiz, en un puesto de control, me paró la Guardia Civil. Al reconocerme, dijeron que siguiera. Cogí el aparato de medir la alcoholemia y soplé. Daba una concentración de alcohol de cero. El guardia civil me dijo que ya lo suponían. Sin embargo, yo estaba completamente borracho, aunque no de alcohol».

Dejemos aquí el diario de Juan.

XXV

La Patrona

El día 27 de junio se celebra la Patrona de Sanidad Militar. Actualmente, todas estas celebraciones han ido a menos, pero en los años sesenta y más, en provincias, había dos celebraciones, una oficial y otra semioficial, para cada festividad. Para la Virgen del Perpetuo Socorro, la primera en el Hospital Militar, que solía consistir en una misa y «un vino español» con o sin discursos, la segunda en algún local del Ejército, con cena de gala y baile.

Los sanitarios del hospital habían colocado una larga mesa organizada con tablones y caballetes en el patio de la pérgola del hospital, y las monjas los habían cubierto con blancos manteles de procedencia desconocida. El jardín botánico del hospital había sido desposeído de margaritas, rosas, calas y verdes ramas que lucían en jarrones, Juan sospechaba que procedentes de la iglesia castrense de al lado.

A las doce se había celebrado una misa que Juan, con la excusa de que tenía que ir a la sala, se había toreado bajo la mirada acusadora de sor Gabriela.

Con Franco en el poder, había presupuesto para todo. Los platos de langostinos exhibían su brillo rosado, las croquetitas, empanadillas, albóndigas formaban pirámides a lo largo de la mesa. Había también platos de jamón en taquitos, chorizo frito, morcilla de arroz...

Diseminadas por las dos largas mesas, formaban la guardia de aquellos manjares, botellas de refrescos, de fino Carta Blanca y botellines de cerveza Cruz Campo en apretadas formaciones.

En aquel tiempo todo era sólido, real. No había pseudomariscos y patatas de espuma plástica, o formas geométricas de desconocido material, hermano, sin duda, del chicle y de los neumáticos, que imitaban a los tocinos de cielo.

Los presupuestos daban para todo.

Juan se sentó en uno de los bancos. Unos pajaritos piaban y se revolcaban bañándose en la fuente central. Lo demás era silencio.

En un momento, el patio se llenó de gente. Había terminado la misa. Del despacho, por otro lado, emergieron el capitán de Estado mayor del Gobierno de Cádiz, el jefe de servicio del hospital, la jefa de las damas de sanidad... Las fuerzas vivas, a excepción del director, que había asistido a la misa y volvía con los fieles.

Las dos mesas fueron rápidamente cercadas: una por las citadas fuerzas vivas y otra por la plebe, es decir, los de la oficina, sanitarios, personal de «limpieza, costura y plancha», Samira entre ellos.

Las damas de sanidad, una media docena, se acercaron a la mesa de las fuerzas vivas. Hijas, casi todas, de militares de la plaza, se consideraban por lo tanto de la clase A.

El ruido espantó a los pajaritos de la fuente.

Las monjas se dividieron: la superiora y la visitadora provincial de la orden (casualmente en Cádiz), clase A.

Las demás monjas, clase B.

Juan, sabiendo que más tarde se lo iban a recriminar, se unió a sus amigos los de la oficina.

Una vez que el capitán de E. M. felicitó a la concurrencia por ser el día de la Patrona, el director dio por abierta la veda.

Los langostinos y el jamón comenzaron a caer como los griegos y los persas en las Termópilas.

Guillermo le lleno la copa a Juan diciendo:

—Carta Blanca. Es el fino correcto, el que hay que beber este año.

Sor Gabriela se acercó a Juan y le dijo:

—Don Juan, no sea borde y váyase a la otra mesa.

—¿No puedo estar con mis amigos?

—No debe.

Entonces, apareció Domingo, el alférez, con aspecto de haberse levantado poco antes.

Las damas de sanidad le contemplaron como una mantis religiosa a un pequeño saltamontes. Juan contempló al grupo y dedujo cuál de ellas tenía más probabilidades de éxito:

Había una morenita con un tipo físico bastante parecido al de María, y si a A le gusta B, pero no tiene acceso a ella y C se parece a B...

Emilia, que no había podido acudir al acto, porque tenía clases por la mañana, llegó sobre las cuatro de la tarde, después de embarcarse en el Adriano.

Aparte de Antonio, el portero, que la saludó diciéndole:

—¿Cómo viene usted a estas horas? ¡Ya no debe quedar ni un langostino! —El primero que la vio fue Guillermo, el jefe de la oficina, que la dejó ante el director diciendo:

—Es la novia del capitán Salas.

Don Justo la dio un repaso con la mirada de arriba abajo y viceversa y dijo:

—¡Vaya! ¡Qué callado se lo tenía! —Y dirigiéndose al sanitario que tenía como asistente le ordenó:

—Busca al capitán, que estará confraternizando con el pueblo, y tráelo aquí.

Emilia se dio cuenta de la no demasiado oculta crítica de la frase del director y se preguntó qué tal se llevarían Juan y él.

—¿Vive en Cádiz? —preguntó don Justo.

—No, en el Puerto. Soy maestra nacional y estoy destinada allí.

La superiora que la contemplaba valorándola, dijo:

—Miren que apañada maestrita se ha buscado don Juan.

Afortunadamente para Emilia apareció Juan.

El director ironizó:

—Confraternizando con el pueblo, ¿eh?

—Sí, señor, soy un plebeyo, no lo puedo negar. —Y arrastró a Emilia hasta el grupo de los escribanos.

—Este muchacho... —dijo don Justo sin terminar la frase.

—... es un puñetero demócrata —terminó la frase el jefe de servicios, provocando la risa de los poderes fácticos.

Cuando se acercaron, Pedro, uno de los de la oficina preguntó:

—¿Qué quiere beber, señorita maestra?

—Una cerveza servirá —dijo Emilia.

Guillermo le abrió un botellín. Paco se fue a las cocinas murmurando

—Voy a ver si han quedado allí algunos langostinos. —Y volvió con un plato con media docena diciendo—: Estos son solo para la señorita Emilia, que nadie los toque.

Domingo, el alférez, se acercó al grupo y saludó efusivamente a Emilia.

—Tú estás libre, ¿no?

Juan, al que en el fondo la situación le hacía gracia, dijo:

—¿Es que estás buscando taxi? —Y llamó a Margarita, una dama de sanidad. Juan había dado varios cursillos a las damas, por lo que estas lo conocían.

Margarita, que tenía un relativo interés por el alférez acudió al grupo.

—Margarita, te presento a Emilia, mi novia, ¿no os parecéis un poco? —preguntó Juan.

—Capitán, a Emilia le deben gustar algo menos los pasteles que a mí, por eso tiene mejor tipo.

—Verdaderamente —dijo Guillermo—, parecéis hermanas.

El alférez, que había bebido bastante bromeó:

—Capitán, se la cambio. —Y alargó la mano para coger un langostino. Paco le dio un cachete en la mano y le reconvino:

—Estos los he traído yo para la señorita Emilia.

—Pero le puedo «prestar» uno a Margarita, ¿no? —preguntó Emilia.

—Claro. Margarita es sobrina mía —informó Paco.

Domingo, a quien el alcohol volvía agresivo, afirmó:

—¿Ya le has puesto tu escandallo a Emilia?

Juan contestó:

—Escandallo se llama el extremo inferior de una sonda. Querrás decir que le he puesto mi etiqueta. Pues sí. —Y dándose cuenta de que lo que pretendía, en su etilismo, el alférez es que se diesen de puñetazos en el patio, cogió de la mano a Emilia y la llevó a la biblioteca.

—Espérame aquí. Me visto de paisano y nos damos una vuelta. Si seguimos en la fiesta voy a tener que pedir un arresto para ese estúpido.

XXVI.

La muerte del Dictador

Juan siempre había sido un radioaficionado, aunque nunca llegó a tener una emisora. Se conformaba con hurgar por las de onda corta. Hablaba bien francés y entendía bien el inglés, el último por la práctica de leer revistas de medicina inglesas o americanas.

En una de las ocasiones en que Enrique, el practicante, tuvo que acompañar a una expedición de reclutas a Canarias, le encargó la compra de un receptor multibandas.

Enrique le adquirió un receptor Sony, que aparte de AM y FM tenía 13 bandas de onda corta.

Durante sus frecuentes épocas de insomnio, Juan se dedicaba a escuchar desde la BBC, Radio París, la Deutsche Welle hasta Radio España Independiente o Radio Punta Arenas.

Habitualmente, oía las emisiones en castellano de la BBC. Al principio, con la ingenua creencia de que estaría mejor informado sobre lo que ocurría en España, en aquel tiempo convulso de las postrimerías del franquismo, luego con una perplejidad creciente.

En aquel año 75 se pasó del asesinato insólito de un policía en los últimos cuarenta años, al asesinato de casi 20 funcionarios, guardiaciviles, policías o militares los últimos meses.

Había un divorcio entre lo que dichas emisoras de O. C. y una cierta prensa política española decían que ocurría y que iba a ocurrir, entre lo que los medios de comunicación «oficiales» divulgaban y lo que al ciudadano común le importaba.

Aquellas emisoras de onda corta reflejaban a un Franco moribundo (tuvo el principio del fin con un supuesto infarto el 15 de octubre), una economía caótica, un Ejército dividido, unos ministros cazados a lazo, siempre al borde la dimisión. Los medios más extremistas decían que España estaba al borde de otra guerra civil.

La gente, al menos aparentemente, vivía ajena a lo que el Gobierno hiciera o dejara de hacer. Parecía que el Régimen finalmente había conseguido uno de sus propósitos: que la mayoría de los ciudadanos fueran apolíticos, como Franco con gallega ironía decía que él era, pero fuertemente egoístas.

«No pasa nada y, si pasa, no importa» era la postura común, siguiendo la frase de Negrín antes de dejar Madrid camino de Valencia, cuarenta años antes

El equipo médico habitual y, por tanto, los periódicos y la prensa, hablaban de que «el Caudillo estaba afecto de una leve afección gripal, que no le había impedido el viernes por la tarde del día 17 (de octubre) recibir al presidente Arias Navarro». Juan pensó que aunque solo se tratase de una gripe, en un anciano de 82 años, que un año antes había tenido una grave tromboflebitis, ese proceso no era leve.

El 21 de octubre el equipo médico habitual admitió «que habían surgido dificultades coronarias». Poco después informó de que «había ocurrido un infarto que evolucionaba satisfactoriamente».

Tampoco le gustó a Juan que en tales casos dijeran que el infarto «evolucionaba favorablemente» tan precozmente.

Juan, que no conseguía dormirse esa noche, oyendo el ulu-
lar del levante en las ventanas de su piso de alquiler, un cuarto
piso en La Laguna se levantó, se hizo un café solo y se puso a
hurgar en las ondas. La noticia, en el mundo de la onda corta
era unánime:

«Franco se muere».

Extrañamente, en el hospital nadie hacía un comentario y,
por supuesto, Juan tampoco. No estaba bien visto que uno se
anduviera informando por la BBC de las noticias de España,
aunque todo el mundo lo hacía.

El 24 tuvo Franco un supuesto segundo infarto.

Esa noche, Juan, que tampoco podía dormir, dado del curso que había tomado la situación, oyó en el boletín de la BBC
«que se estaba ocultando a los extraños, entre otros al pueblo
español, la realidad de lo que estaba ocurriendo». Según decía
la BBC, se trataba de la transmisión de poderes al príncipe, que
sería «o rey o nada».

El problema no era una sucesión de infartos, como se leía
en la prensa, sino una peritonitis y —al principio— hemorragias digestivas por una úlcera en el fundus gástrico.

Hasta tiempo más tarde, Juan, tal vez por desidia suya, no
supo la serie de intervenciones —por lo menos tres— a que
fue sometido Franco, en un desesperado intento de detener
sus hemorragias intestinales, agravadas por la peritonitis y la
insuficiencia renal.

Todo estaba en suspenso aquellos días. Era como cuando
has visto un relámpago y esperas el retumbar del trueno.

El trueno ocurrió la madrugada del día 20 de noviembre
con el comunicado de la Agencia Efe: «Franco ha muerto.
Franco ha muerto. Franco ha muerto».

Juan, transcurrido el tiempo, cuando las cosas se aclararon, supo que la prolongación a toda costa de la vida de Franco pudo ser con el propósito de que sobrepasase el 26 de noviembre, fecha en que renovaría su mandato el presidente del Consejo del Reino y de las Cortes Alejandro Rodríguez de Valcárcel, «persona segura» según los políticos del Régimen.

El problema del Sáhara, el paro creciente, la recesión económica, el reciente fusilamiento de dos terroristas y el asesinato continuado de agentes del orden público por la ETA, explican, pero no justifican el «ensañamiento terapéutico» cometido por el equipo habitual.

El 20 de noviembre de madrugada despertaron a Juan los cañonazos funerales. Pensó que al fin habían decidido que Franco muriera para la historia, según las emisoras que oía Juan, un día más tarde de la muerte real, coincidiendo con la fecha del fusilamiento de José Antonio, como en una especie de tardío reconocimiento.

Al día siguiente por la tarde se fue a ver a la maestras suponiendo, con razón, que estarían asustadas.

Efectivamente, como no había clases, se las encontró en su piso como dos aterradas palomas.

Cuando llamó a su puerta sonó la voz de Carmen:

—¿Quién es?

—Juan Salas.

Abrieron la puerta.

—¡Como nos alegramos de que hayas venido!

Emilia preguntó inquieta:

—¿Qué va a pasar ahora? —pregunta que en aquel momento se hacía la mayoría de los españoles.

—¡No va a pasar nada malo! —dijo Juan completamente seguro de lo que decía.

Carmen se fue a hacer café y los dejo solos. Se sentaron en el sofá. Juan hizo que Emilia se sentase en sus rodillas, la abrazó y besó. Notó como esta se fundía.

Unos días más tarde fue el funeral, que se celebró en la Catedral Vieja, en Cádiz. No cabía un alfiler. Todos los militares de uniforme, con un brazalete negro.

XXVII.

La sobrina

Emilia y Juan reanudaron sus relaciones como si no hubiera existido el intervalo de María.

El recuerdo de esta fue encapsulado y relegado al trasfondo inconsciente de la mente de ambos. Cuando Juan intentaba hurgar en el recuerdo de aquellos días aparecía la imagen de aquella mujer físicamente perfecta, como podía traer a su mente la imagen de la *Venus* del Cnido o la de Ava Gardner en *Forajidos*. Algo admirable y lejano. Irreal.

Cuando llevaban cierto tiempo saliendo, Emilia le preguntó, saltándose la regla no escrita de no mencionarla, por la causa del repentino cambio de conducta de Mary.

—No puedo explicarlo —confesó Juan—. De ser una muchacha que se entregaba a todo el que le apetecía a ella, a una mujer que comulgaba todas las mañanas antes de ir a clase. Un cambio tan repentino como el de Saulo camino de Damasco. Comenzó cuando nos hicimos novios y terminó con su muerte, que por razones desconocidas coincidió con la de una viejecita de la Casa de Viudas, con la que tuvo dos encuentros que la cambiaron aún más de lo que la había cambiado yo.

—¿Y qué relación hay entre una y otra cosa? —preguntó Emilia.

—No lo sé. La casualidad no existe. Cuando estudiaba Bioestadística en la facultad calculábamos con alguna frecuencia la probabilidad matemática de una coincidencia. Cuando intentas aplicar la lógica a los sucesos de tu vida te encuentras con que algunas cosas ocurren simultáneamente, cuando la probabilidad de que sucedan al mismo tiempo es remota.

—La probabilidad de que Adelina y María muriesen prácticamente en el mismo instante o de que tú y yo cogiéramos el exprés Madrid—Cádiz el mismo día, el mismo departamento.

—¿Y qué conclusión sacas de eso? —preguntó Emilia.

—Obviamente, que hay algo que se superpone a la ley de probabilidades.

—¿Y cómo llamas a ese «algo»? ¿Dios? ¿El destino? ¿La predestinación? —insistió Emilia.

—Puede que eso fuera lo que descubrió Mary.

Que al alférez Arribas le gustaba Emilia Urzáiz era algo evidente. Domingo hizo indagaciones entre los auxiliares y las monjas del hospital y dedujo que la relación de aquella con su capitán no estaba completamente clara.

Le dijeron que el capitán había tenido una novia muy bella que había muerto recientemente dejándole destrozado. La información no le dejó claro que Emilia y Juan fuesen novios.

El alférez era un extrovertido hiperquinético que no dejaba parar nada. En contra de lo que suele ocurrir, que los hiperquinéticos tienen un C. I. bajo, este lo tenía normal.

Con tales premisas, Domingo intentó conquistar a Emilia.

Una mañana, la esperó a la salida del colegio, en el Puerto[20].

20. ... de Santa María.

Se sentó en una cafetería enfrente, aquella en que solía desayunar Mary. Tuvo que ocultarse tras el *Diario de Cádiz* cuando salió Margarita, de la cual había huido después de acostarse con ella en Navidad, pues la muchacha intentó establecer relaciones estables con él y a él quien le gustaba era la morena de la boquita pequeña.

Cuando salió Emilia, le hizo señas.

—¿Qué haces aquí? —preguntó sorprendida—, Margarita ya ha salido.

—No quería ver a Margarita. Quería verte a ti. Me gustas.

—Te equivocas conmigo. Yo soy la novia de tu capitán. Creí que resultaba evidente.

Domingo enrojeció.

—Y, claro, no vas a cambiar un pobre alférez por un capitán. Parece que he metido la pata hasta la ingle. ¿Tengo alguna posibilidad contigo? El capitán es un poco sieso, ¿no? No le digas nada a Juan. De todos modos, déjame que te acompañe a tu casa.

Tal cosa llenó de preocupación a Emilia. No sabía si contárselo a Juan o no.

Juan había establecido la consulta externa de medicina interna del hospital los lunes, miércoles y viernes, a las 11:30. Solía ver seis u ocho enfermos cada consulta, lo cual le llevaba menos de una hora y media. El hiperquinético alférez solicitó acompañarle en la consulta, lo cual no le hizo demasiada gracia, pero decirle que no le resultaba violento. Parecería que temía su juicio sobre su proceder. Así que, ingenuamente le dijo:

—Bien. Te dejo que asistas a mi consulta, siempre que me prometas que te vas a estar callado y todo lo más, que solo me haces preguntas a mí y no a los enfermos o familiares.

—Prometido, jefe.

—Te vas a inflar a tomar tensiones y a pesarme y medirme a obesos y obesas.

—Lo haré con placer.

La verdad es que el muchacho se esforzó en dominar su inquietud psicomotriz.

Aquel viernes se presentaron un coronel de infantería, don Pablo Cifuentes, de riguroso uniforme, y una mujer joven con un hermoso rostro como de actriz de cine de los años treinta, con el pelo peinado en dos bandas, cardado que formaba una aureola en torno a su rostro. Una blusa y una falda Christian Dior cubrían sus proporcionadas formas. El alférez se olvidó instantáneamente de Emilia.

El coronel llevaba un sobre amarillo con una radiografía que alargó a Juan nada más sentarse.

—Es una radiografía de tórax de mi sobrina Rosario. El médico del regimiento nos ha alarmado mucho.

Juan colocó la radiografía en el negatoscopio; multitud de irregulares manchas oscuras de aspecto geográfico llenaban ambos campos pulmonares.

Juan se esforzó porque sus pensamientos no se reflejaran en su rostro.

Contempló a la muchacha, no parecía estar todo lo enferma que podía deducirse de aquella radiografía.

Domingo, embobado con la muchacha, no había dirigido ni una mirada a la placa.

Juan navegaba mentalmente entre parásitos intestinales, paragonimiasis, eosinofilia pulmonar… Para no admitir que aquello eran las metástasis de algún tumor de alguna parte. Las llamadas «metástasis en suelta de globos».

El coronel se inclinó sobre Juan y en voz baja dijo:

—El médico de cabecera cree que son metástasis de un tumor. No me ha dado muchas esperanzas.

Rosario y Domingo se contemplaban mutuamente, ajenos a todo. El coronel escamado, gruñó:

—¿Qué le pasa, alférez? ¿Le ha dado un pasmo?

Domingo y la muchacha enrojecieron violentamente. Domingo dirigió la mirada al negatoscopio.

Juan preguntó al coronel:

—¿Tiene un análisis de sangre?

El coronel sonrió tristemente:

—No hay eosinofilia, y sé lo que eso significa.

«Significa que la probabilidad de que sean metástasis es muy fuerte», pensó Juan.

—Jefe —dijo Juan—, haga que esta muchacha se quite la ropa de cintura arriba y auscúltela.

Don Pablo se encrespó.

—¡De ningún modo! Es una chica soltera. ¡No va a enseñar los pechos delante de tres varones!

La chica pausadamente se quitó la blusa y el sujetador al tiempo que decía:

—De esos tres varones dos son médicos y tú me ves los pechos todas las noches.

El coronel palideció. Nadie dijo nada, descubierta la relación entre tío y sobrina.

Juan se inclinó sobre la muchacha y la auscultó. Luego alargó el fonendo al alférez, que rechazándolo dijo:

—Jefe, seguro que tú auscultas mejor que yo.

La muchacha los contemplaba inquieta. Con los senos al aire parecía un mascarón de proa.

—Tienes razón, Domingo. No son metástasis, son émbolos. Tiene una estenosis mitral.

La muchacha se vistió.

—Mi coronel —dijo Juan—, su sobrina padece una estenosis mitral. Tendrá que ir al Hospital Gómez Ulla a Madrid o a la Macarena de Sevilla a que la evalúen y operen.

—Tendré que hablar con sus padres, que viven en Vejer. Ella está conmigo de sirviente.

Cuando salieron de la consulta, Domingo se explayó:

—Creía que solo los curas tenían sobrinas, ¡menudo contubernio! Ya viste como me miraba la muchacha como pidiendo auxilio. Seguro que el tío se acuesta con ella.

—Pero me temo que ha encontrado su caballero andante que la va a rescatar. Ten mucho cuidado. Es un coronel en activo.

—Me da igual, es la mujer de mi vida. Lucharé por ella.

—Igual acabas en un castillo —dijo Juan.

XXVIII.

El Hotel Reina Cristina

Emilia y Juan habían quedado el sábado por la mañana, en el Hospital Militar.

—Creo que aún está durmiendo —le informó Antonio cuando la vio llegar—. Por lo visto se acuesta muy tarde. Le llamaré por teléfono y le diré que está aquí.

Juan salió de su cuarto con una bata roja, unas babuchas y el pelo revuelto.

—Le falta a usted el violín —dijo Antonio.

Juan le miró perplejo. Emilia se echó a reír.

—¿Qué te hace tanta gracia?

—Pareces Sherlock Holmes —contestó Emilia—. Anda, arréglate.

Sor Encarna, que estaba en todo, puso en una mesita de mimbre que había en el patio, dos tazas de café y dos paquetes de galletas.

—Sor, yo ya he desayunado —dijo Emilia.

—Pues desayunas otra vez. Te estás quedando demasiado delgada.

Junto a uno de los pozos había una planta de plumeros blancos que llegaban a la altura del primer piso. También había en los geométricos parterres pensamientos de diversos colores. En el centro del ajardinado espacio un surtidor, rodeado por un cerco de mármol blanco, lanzaba al aire un chorro de agua que chasqueaba al caer sobre una pileta hexagonal.

Cuando Juan se sentó con ella, le dijo:

—Juan, tu alférez vino ayer al Puerto a tirarme los tejos. Parece que nadie le ha dicho que soy tu novia formal. Porque lo soy, ¿no?

—¿Pero no estaba liado con Margarita, vuestra compañera?

—Parece que yo le gusto más —contestó Emilia con cara risueña, más Betty Boop que nunca.

—No te preocupes. Ya tiene una nueva Beatriz.

Antonio se levantó y se fue a su habitación. Al volver le dijo:

—Cierra los ojos y dame una mano.

—Ábrelos ya.

Le había puesto el solitario del brillante en el dedo corazón de la mano derecha.

—Mira la de cosas que nos pasaron cuando te lo quitaste. No lo hagas más.

Emilia contempló el dorso de su mano:

—Lo prometo. Creí que lo habías vendido.

—Emilia, ese anillo solo puede ser tuyo. Es algo personal. Ven. Te enseñaré la biblioteca del hospital.

La arrastró a la silenciosa habitación. Cuando Emilia se detuvo, admirada por las docenas de viejos libros con lomos de descolorido cuero, la abrazó y le dio un apasionado beso.

—Ahora vámonos por ahí —dijo Juan.

Cuando salían, dijo Antonio:

—Don Juan, límpiese los labios. Los lleva manchados de carmín.

Una tarde permaneció unas cuantas horas en la biblioteca del hospital, leyéndose en su Harrison las hepatitis. Tenía ingresado un muchacho, hijo de un suboficial, aislado en un cuarto, con una hepatitis tipo A, lo cual le complicaba considerablemente la vida a sor Gabriela que debía tener un juego de cubiertos y de ropa de cama separados de los de los demás enfermos, lavarlos aparte etc., etc.

Salió bordeando la tapia del hospital y terminó en La plaza donde estaba la Delegación de Sanidad en Cádiz, en El Olivillo.

En la plaza había una estatua de Simón Bolívar, regalada por la República bolivariana poco tiempo atrás. La estatua tenía extendido el brazo derecho, con el índice apuntando a américa. Algún gaditano había escrito con pintura blanca a lo largo del brazo extendido: «Estos son los que viven», evidentemente referido a los pabellones militares que había enfrente. Juan pensó que dependía de con quién se comparasen.

Al final, como con frecuencia le ocurría, terminó apoyado en la barandilla que separa la Caleta de la Avenida.

Acababa de ponerse el sol, dejando atrás una banda de estrechas y paralelas nubes rojizas sobre el horizonte. El faro de Santa Catalina había comenzado a dar vueltas. Los pájaros que tenían sus nidos entre las ramas del inmenso magnolio que había delante del Hospital Mora organizaban su diario escándalo vespertino.

Había ocurrido algo que variaba todos sus planes para el futuro: habían destinado a la plaza un médico militar más antiguo que él.

El ejército tuvo que crear una red de hospitales militares cuando en España no existía ninguna. Existían hospitales, dependientes de la iglesia o de las diputaciones, como centros aislados de variable capacidad, en general insuficientes para la asistencia de la guarnición.

Pero en las décadas de los setenta y ochenta se había creado la red hospitalaria de la Seguridad Social. A menos que la guarnición de una ciudad fuera muy grande, los hospitales militares no eran rentables. Cádiz era una de estas ciudades. Era previsible que en muy pocos años el Hospital Militar de Cádiz fuera clausurado sustituyéndolo por una clínica militar en la cual habría destinado un solo médico. Y el comandante médico, recién destinado a la plaza era más antiguo que él.

Luego, la cosa estaba clara: Juan tenía que buscarse la vida antes que le dejasen disponible.

Los pájaros habían dejado de escandalizar y ahora los sonidos de las jarcias de las barcas al chocar con el palo y los de las pequeñas olas que iban a morir en la playa llenaban el aire con un agradable murmullo. La banda de nubes que se prolongaba por encima del horizonte se había tornado de un gris azulado sucio. Se había levantado el frío húmedo característico de las ciudades portuarias. Por frío que se pasase en invierno en Cádiz, los gaditanos no usaban abrigos. Era una prenda rara en la ciudad.

Juan siguió con sus pensamientos.

Podía seguir en Cádiz o seguir en el Ejército. Ambas cosas no.

Unas semanas atrás el inspector provincial de la Seguridad Social le había tirado los tejos. «¿No le interesaría a usted venirse de internista a la residencia?».

Juan, pillado de sorpresa, había contestado que le dejara para pensarlo un tiempo. Pero tenía que tomar una decisión y esa decisión implicaba forzosamente a Emilia.

Estaba ella sola en casa con su batita de florecitas. Juan llamó a la puerta con un tabaleo característico. Le abrió la puerta. Juan la abrazó y la besó. La siguió a su cuarto, en lugar de quedarse en el cuarto de estar. Entró en el de Emilia y se sentó en la butaquita que allí había.

—Vamos a Algeciras, al Hotel Reina Cristina. Verás qué curioso lugar —dijo Juan.

Emilia, aún en ropa interior, se volvió hacia él. Estaba un poco más delgada de lo que la recordaba, pero continuaba teniendo unos senos gloriosos.

—Ponte el traje de chaqueta gris, una camisa blanca, y unos pantalones oscuros. Así estarás uniformada de modo adecuado para el ambiente.

Emilia le contempló sonriente, pícara y le obedeció.

—Solo me quito el anillo para ducharme. ¿Eso me está permitido, amo?

—Sí, profesora.

—¿Puedo pintarme los labios con rojo Chanel Allure?

—No me tomes el pelo, profe. Píntatelos como quieras, pero termina.

Con los labios pintados de un rojo que tiraba a morado estaba completamente Betty Boop.

—Casi hacen juego tus labios con el color del coche —dijo Juan, abriéndole la portezuela ceremoniosamente a Emilia.

—¿Lo has lavado, eh? ¿Cuánto se tarda en llegar a ese Hotel? —preguntó Emilia acomodándose en el asiento.

—Una hora y algo. No hay que entrar en Algeciras.

Hacía un soleado día, de esos en que todo el paisaje se ve como si el mundo estuviera recién creado. Juan, de cuando en cuando, echaba un vistazo a las rodillas de Emilia o al cabello que revoloteaba junto a su cara.

En alguna loma del camino destacaba contra el cielo el toro bravo del Fino Quinta de Osborne. Bandadas de gorriones se levantaban de los sembrados, recién segados, agostados por el sol.

—Creo que el Hotel Reina Cristina es el más antiguo de la Costa del Sol. Es un Hotel que se construyó con estilo inglés y para que los ingleses de Gibraltar aliviaran su claustrofobia de vivir encerrados en el Peñón —informó Juan.

»Está en la cima de un otero de laderas ajardinadas. Lleno de viejas palmeras. A mí me recuerda el Hotel de una vieja película inglesa, *Separate Tables* con una maravillosa Deborah Kerr.

—Ni me suena esa película —afirmó Emilia.

—No es tan antigua. Es del año 56 o por ahí.

Se sentaron en el salón/cafetería cuyo suelo era de losas de mármol blanco y negro, que formaban un infrecuente dibujo no ajedrezado en que las losas negras estaban rodeadas de losas blancas. Al fondo, una barra de madera oscura. Mesitas redondas y butacas forradas de rafia.

Había un piano de cola en el que una pianista bastante mayor interpretaba lánguidas canciones pasadas de moda. El humo ciega tus ojos, tornerai, sobre el arco iris...

—¿Te parece bien que cenemos aquí en el restaurante, dentro de un poco? —preguntó Juan.

—Es un sitio encantador. Parece como si estuviésemos a principios del siglo XIX.

Se acercó un camarero:

—Un bourbon con hielo y...

— Un bíter sin alcohol —añadió la muchacha.

—Tenemos que tratar unos asuntos muy importantes para nuestro futuro —dijo Juan—. Tenemos que casarnos. Pienso que un mes de plazo será suficiente.

—Yo quiero casarme en Madrid. Necesito a mi madre.

—Vale. Más complejo: yo debería pedir destino en Madrid, a poder ser en uno de los hospitales militares. ¿Puedes pedir tú un traslado a Madrid?

—No lo sé. Creo que no —dijo la maestra.

El camarero, que tenía aspecto de mayordomo inglés, volvió con las bebidas y un platito con encurtidos.

En la mesa de al lado había un jeque árabe con su turbante y su chilaba blanca, rodeado por tres mujeres de las cuales lo único visible eran tres pares de negros ojos.

—Perdone usted, señorita, ¿es usted árabe? —preguntó a Emilia el moro.

—No. No soy árabe. Pero por si le sirve en sus suposiciones, mi familia procede de Granada —informó Emilia.

El jeque inquirió:

—¿Cuál es su nombre si me permite preguntarlo?

—Emilia —contestó la maestra.

—Ese es un nombre latino o mejor aún, etrusco. Deberías llamarte Faghira, aseguró el árabe.

—¿Por qué? —preguntó Juan.

—Quiere decir «flor de jazmín», flor que es pequeña y blanca, como ella. —Se levantó, les hizo una reverencia y, seguido de sus esposas, salió del salón.

—Faghira... Intento imaginarte como odalisca, bailando la danza del vientre. Aunque ahora estás un poco delgada para los gustos de un señor del petróleo —dijo Juan riendo.

—¿Te estás burlando de mí porque tengo las caderas anchas?

—Me gustan tus caderas... Y muchas más cosas de ti. Piensa en lo que te he dicho antes, ¿puedes pedir traslado a Madrid?

—Primero nos casamos. En segundo lugar, intentas meterte en Madrid. Es la manera de que yo, por derecho de consorte pueda entrar en Madrid. De otro modo, lo veo muy difícil.

XXIX.

Cerrando el ciclo

Juan consiguió un destino en Madrid, pero no en un hospital.

Fue a una plaza dependiente del Gobierno Militar: «Médico de Plaza». Desde luego no era un destino para llegar a general de división del cuerpo, pero era cómodo.

Madrid estaba dividido en zonas a efectos de la asistencia por los médicos de plaza. Los militares sin destino —jubilados en su mayor parte— y sus familias, eran asistidos por este servicio.

Las obligaciones de Juan eran desempeñar una consulta (no muy distinta de la que tenía en Cádiz), hacer visitas domiciliarias a los enfermos de su zona y asistir a los tribunales como vocal.

Con gran satisfacción de su madre, que se había quedado viuda justamente cuando Juan ganó las oposiciones de Sanidad, volvió a vivir con ella, pensaba que provisionalmente.

Su vida volvió a ser no muy diferente de la de estudiante de medicina. En la cafetería, que estaba al lado del portal de su casa, la encargada al servirle el café solo, que tomaba a media mañana, simplemente le preguntó:

—Ha estado usted un tiempo fuera, ¿no? ¿Ganó aquellas oposiciones que estaba preparando?

Y Juan se sintió como aquel monje que se durmió y al despertar se encontró con que habían pasado cien años.

Cuando salía del Hospital de Cádiz, camino del Talgo (el Seat lo había embarcado en el exprés la noche anterior hacia Madrid, dadas las previsiones meteorológicas) Antonio lo contempló de arriba abajo:

—Se vuelve usted a Madrid como vino; con su gabardina blanca, su maleta y su sable en su funda roja sujeto a la maleta. Además en un día lluvioso, como aquel en que le conocí. Siento que nos deje.

Se dieron un abrazo. Juan no dijo nada. Desde el fondo del patio, sor Gabriela le hizo un signo de adiós con la mano. Supuso que no quería acercarse para no acabar llorando, dado lo sensible que era.

El día anterior se había despedido del director y del jefe de servicios gorra en una mano y sable al costado.

—Ha estado con nosotros mucho más tiempo de lo que yo había pronosticado —dijo el director.

Don Fulgencio hizo un gesto afirmativo con la cabeza y aseveró:

—Nos deja usted un buen recuerdo.

—Gracias. Tengo que ir al Gobierno. Si no quiere usía nada...

Dio un taconazo, media vuelta y salió del despacho.

—¡Que tío más seco! —dijo don Fulgencio, cuando salió.

Cuando el Talgo comenzó a resbalar sobre las vías, camino de San Fernando, juan sintió que la angustia le oprimía la garganta.

Dejaba atrás un modo de ejercer la medicina como el reflejado en *Cuerpos y Almas*, en la *Historia de San Michele* o en *El Hakim*[21]. La medicina en que el médico, como Hipócrates, Galeno o Paracelso usaba la palabra y los sentidos. La medicina ahora era cuestión de números (análisis) y aparatos. Un trabajo mucho menos gratificante. La veneración del enfermo se desplazaba del médico a los medios diagnósticos, a las máquinas.

También se dejaba atrás a Emilia.

Lejos de las feromonas de Juan, Emilia volvió a su soterrada androfobia.

A pesar de su melancólica despedida, cuando al día siguiente de llegar a Madrid la llamó a su casa, Carmen, que se puso al teléfono, contestó con un «dice que no está» para no dejar dudoso a Juan.

Juan pensó escribirle una carta pidiéndole explicaciones, pero el tiempo fue pasando y no lo hizo.

Una tarde en que debía estar sola en la casa, Carmen llamó.

Las explicaciones que le había dado Emilia eran simplemente que «no se veía casada».

—¿Pero es que es homosexual? —preguntó Juan irritado.

—No tengo razones para pensarlo, y llevamos años viviendo juntas. Debe haber algo en su pasado que la ha vuelto así, pero es tan introvertida que nunca me ha contado nada de su vida anterior a su venida a Cádiz, ni creo que me lo cuente. Es una rompecorazones. Creo que es su miedo al embarazo y al parto la causa de su rechazo.

Unos días más tarde, a través de una agencia de paquetería, recibió un pequeño envoltorio. Inmediatamente se figuró

---

21. .- Novelas de tema médico respectivamente de Maxence van der Meersch, Axel Munthe y John Knittel.

lo que era; por segunda vez el anillo volvía a sus manos. Lo desenvolvió. Emilia lo enviaba en la propia cajita de la joyería. Pensó que era una insensatez mandar algo tan caro por una agencia, pero ¿para qué iba a decírselo? Sin pensárselo siquiera se lo dio a su madre que estaba cosiendo apaciblemente en su cuarto.

—¿Te gusta? —preguntó Juan.

—Pues sí. Es muy bonito y parece caro —dijo poniéndoselo en el dedo anular de la mano izquierda y contemplándolo. ¿A quién se lo vas a regalar?

—A ti, ¿no es la semana que viene el día de la madre? Pues es tuyo. La persona para la que lo compré me lo ha devuelto.

—Vale. Pero si te arreglas con ella, pídemelo.

—¿Intentarlo por tercera vez? No, madre. Sería suicida. El que pierde una buena mujer, no sabe lo que gana. Es la segunda vez que me deja y no hay dos sin tres —dijo cínicamente.

En su nuevo destino tenía mucho tiempo libre. Por otro lado, el ejercicio de la medicina que practicaba ahora Juan era poco estimulante. Le parecía sorprendente, pero echaba de menos los enfermos de meningitis, las salmonelosis intestinales, las neumonías, los ictus o las neumonías de los viejos retirados, de su sala de medicina interna. Echaba de menos a la niña del pijama amarillo. Por otro lado, siempre le había interesado la motivación de la conducta de las personas. Como consecuencia se matriculó como alumno libre en la Facultad de Medicina de la Universidad Complutense en la especialidad de Psiquiatría.

Cuando se lo contó a su madre esta se quedó perpleja:

—Pero ¿cuántos años dura esa especialidad?

—Cuatro años —contestó Juan—, pero ¿qué más tengo que hacer? Además de los enfermos que veo, el setenta por ciento son enfermos con problemas psiquiátricos: depresión, ansiedad, bipolares...

—Ya eres mayorcito. Tú veras lo que haces.

Personajes de Hospital Militar de Cádiz.

Andrés Saiz	Soldado de reemplazo
Antonio Rodríguez	Portero del hospital
Carlos Sánchez Expósito	Presidiario exlegionario
Carmen	Maestra
Domingo Arribas	Alférez médico de complemento
Eduardo Palomino	Teniente de Infantería. Novio de Carmen.
Eloísa Sampedro	Madre del sargento de la Legión
Emilia Urzáiz	Maestra
Enrique Sandoval	Teniente practicante
Francisco Romero	Quinqui. Examante de Mary
Fulgencio	Teniente coronel jefe S. Cirugía
Gabriela (Sor)	Monja sala de medicina
Guillermo	Jefe secretaría hospital (civil)
Ignacio Romero	Teniente coronel radiólogo
José Granados Sampedro	Sargento de la Legión
Josefina (Sor)	Destinada en las cocinas
Juan	Escribiente secretaría hospital
Juan Salas	Capitán médico
Justo	Coronel médico director hospital
Lorenzo García	Médico de guardia (civil)
Luis Gómez	Guardia civil
María Rivas	Maestra
Mariano	Capitán de Estado Mayor

Margarita López	Maestra
Mary Rivas	Escultural maestra
Muhammad Gandar	Supuesto imán
Paco	Escribiente secretaría hospital
Tony González	Niño rico, hijo de bodegueros de Jerez
Samira	Muchacha marroquí
Yusuf	Padre de Samira

Índice